DU MÊME AUTEUR

UN PARFUM D'ENCENS, nouvelles, Imprimeur II, Haïti, 1999

MIRAGE-HÔTEL, nouvelles, Éditions Caraïbe, Haïti, 2002

L'HEURE HYBRIDE, roman, Vents d'ailleurs, 2005

KASALÉ, roman, Vents d'ailleurs, 2007

FADO, roman, Mercure de France, 2008

SAISONS SAUVAGES, Mercure de France, 2010

LE PRINCE NOIR DE LILLIAN RUSSEL (avec Leslie Péan), Mercure de France, 2011

AUX FRONTIÈRES DE LA SOIF

Kettly Mars

AUX FRONTIÈRES DE LA SOIF

ROMAN

MERCVRE DE FRANCE

Aux survivants du séisme du 12 janvier 2010

Dans un pays sans eau, que faire de la soif?
De la fierté.
Si le peuple en est capable.

HENRI MICHAUX

Fito regarda sa montre. Six heures cinquante, il serait à l'heure à son rendez-vous. Les phares de la Jeep éclairaient furtivement les troncs tourmentés des neems au bord de la nationale nº 1. Le trafic était fluide, la voiture filait vite. Une transition brusque et libératrice par rapport aux encombrements qui l'avaient retenu près d'une heure, jusqu'à la sortie de Bon-Repos. Fito avait un peu froid mais il ne régla pas le climatiseur. Il laissait son sang se refroidir. Dans un moment il allait suer toute l'eau de son corps sous un abri de bricoles. La végétation diminuait au fur et à mesure de sa progression. Il atteindrait bientôt le carrefour de Route-Neuf, croisement de tous les risques, à la sortie de Cité-Soleil. Il les vit debout sous un bouquet de lauriers-roses. Il savait les trouver là, comme les autres fois, mais à leur vue son cœur cogna fort dans sa poitrine et sa gorge se serra. Il laissa l'asphalte, engagea le tout-terrain sur l'accotement en terre battue et déverrouilla les portières. Quand les deux hommes montèrent à bord, la nuit s'engouffra dans la cabine du véhicule. Il n'y avait presque pas de bruit dehors, des cigales crissaient dans les touffes de ronces alentour et, au loin, le moteur d'une puissante génératrice ronflait.

Dans la voiture les trois hommes échangèrent un bref salut. Au bout d'environ un kilomètre, l'oncle dit: *Ralanti... vire la a, patron*[1]. Fito prit un chemin pierreux sur la droite. Il fallait d'abord longer Corail, le camp de sinistrés aux rangées ordonnées de tentes plantées par les soldats étrangers. Canaan, plus haut, couvrait dans la plus parfaite anarchie une coulée de mornes nus dominant la route du Nord et rejoignant sur l'autre versant, en direction de la nationale n° 3, les contreforts du Morne-à-Cabris. Une terre de tuf, ingrate et chaude. Quelques rares touffes de neems et des cactus auxquels les déplacés avaient arraché des carrés d'emplacement. Canaan, un mélange de femmes, d'enfants, d'hommes, de rires et de pleurs, de faims et de soifs. Une agglomération chaotique de carrés en contreplaqué et de maisons-bâches à dominante bleue, étampés de sigles internationaux, qui avait grandi comme un immense champignon, rampant vite d'un morne à l'autre, les recouvrant d'une maille de vies déplacées. Au-delà du chaos apparent, une organisation subtile régissait l'endroit. Il y avait déjà Canaan 1 et Canaan 2 et, au rythme de l'avancée humaine, d'autres Canaan continueraient de s'étendre dans les creux assoiffés de la terre. Quelques maisons en dur poussaient çà et là, fixant le lieu dans sa topographie de bidonville officiel en devenir. Et la poussière partout, dans les cheveux, les yeux, les mains, la raie des fesses, les jambes, incrustée au plus intime des vies. Un

---

1. « Ralentis... tourne ici, patron. »

endroit sec et seul. Canaan envahi et proclamé terre promise dès le lendemain du séisme par quelques centaines de sinistrés de la zone. Un an plus tard, et selon des statistiques peu fiables, ils étaient quatre-vingt mille. Une ONG cherchait de l'eau et promettait l'installation d'un système d'adduction qu'on attendait depuis plusieurs mois. Entre-temps, il fallait acheter le précieux liquide. Au début, quelques camions-citernes commandités par des organisations caritatives venaient déverser leur réservoir dans les seaux et les *drums* du peuple. Une lutte s'engageait alors où les plus forts gagnaient la plupart du temps. Une eau qui ensuite était découpée comme des petites pièces de lard et revendue au prix fort. À Canaan tout avait un prix, l'emplacement de terre spoliée, l'eau rarissime, la quincaillerie, les soins de beauté, le pain, l'Internet, l'improbable sécurité, la marijuana et les boules de crack, le sexe sous toutes ses formes.

Le chemin s'arrêta devant un bouquet de bayahondes, il fallait continuer à pied. Fito lança sa cigarette qui tomba dans une grappe d'étincelles. Il mit ses clés dans la poche droite de son pantalon. Il sentit ses semelles en caoutchouc mordre les cailloux du sentier. Une brise forte et douce soufflait, ouvrant le ciel. Les Cananéens désertaient le camp aux heures du soleil. Impossible de rester une heure sous une tente sans mourir de chaleur ou entrer dans une sorte de coma de la soif. Où allaient-ils ? Certains avaient un boulot régulier dans les rares usines de Vareux, d'autres vendaient toutes sortes de petits trucs à Bon-Repos, à Damien, vers l'aéroport Toussaint-Louverture ou jusqu'à Port-au-Prince, d'autres encore traficotaient des substances défendues. Mais les autres, les vieux, les enfants, dans quel silence déshydraté traversaient-ils le jour ? Fito se le demandait parfois mais il n'avait jamais eu le courage de poser la question à un habitant du camp. Quand tombait la nuit et qu'une brise fraîche montait de la mer, l'espace renaissait. Canaan semblait vivre doucement, quelques dizaines de mètres plus haut. Dans la solitude des mornes déjà des éclats de voix et de musique lui parvenaient. La montée était raide, Fito haletait un peu. Des lampes à kérosène et des bougies éclairaient certaines des tentes, de loin on croyait les voir brûler. Des petites génératrices ronflaient en de rares endroits, pour faire marcher les affaires, le petit commerce honnête ou malhonnête. La lumière autour de ces points attirait les Cananéens. Derrière la transparence des bâches, chaque abri survivait dans des conditions extrêmes. Il y avait une tente tenue par un pasteur protestant pour le culte. Plus loin, une voyante aveugle tirait des cartes à vingt-cinq gourdes la séance. Canaan s'organisait pour faire face à l'avenir. Un comité de Cananéens et Cananéennes concernés s'était même constitué en structure d'encadrement et faisait office d'interlocuteur politique. Ce comité essayait d'établir son autorité, de suppléer à l'absence de l'État qui ne savait rien de l'existence des déplacés. Il essayait de monter des brigades de sécurité, les chapardeurs et les violeurs volaient bas dans le camp, il suffisait d'une lame de rasoir pour pénétrer sous une tente... Sans moyens matériels, tout cela cependant n'était encore qu'un vœu pieux. Mais ils avaient déjà reçu des visites de porte-parole de candidats au second tour des élections qui se déroulaient dans quelques semaines.

Canaan était une force endormie, un malè pandye[1]. Un vivier en puissance pour les besoins du politique et de l'humanitaire.

Le petit jeune avec les dreadlocks resta sur les lieux, pour surveiller la Jeep. L'oncle prit les devants et s'engagea dans un corridor sur sa gauche. Fito le suivit, posa le pied dans la ruelle et bascula dans une autre dimension. Tout changeait alors. Chaque visage qu'il croisait le menait vers un paradis en enfer, un bonheur indicible au sein duquel il pénétrait comme un somnambule. Il pouvait se perdre alors dans la promiscuité dense, dans la proximité dangereuse et fascinante vécue au plus intime du peuple et s'oublier enfin. Il n'était personne, il n'était nulle part. Son pouls s'ajustait à celui du camp, aux bruits et aux ombres, aux relents de pissat qui montaient par intermittence avec la brise. Au choc mat des coups frappant parfois les chairs des femmes, aux cris du ventre, à la douleur banale, anesthésiée par la peur. Il connaissait les éclats de rire des filles qui bavardent entre elles, rêvant d'amour et de partir un jour rejoindre un parent aux États-Unis, au Canada ou en France, l'œil morne des hommes assis dans l'ennui ou dans l'attente des numéros gagnants à la borlette[2], les enfants en culottes accrochés aux jambes des mères ou jouant avec des jouets cassés, made in China. Il côtoyait des hommes et des femmes qui faisaient métier de survivre, au jour le jour, la Bible sous l'aisselle et remerciant Dieu du simple fait de respirer. Il y avait des enfants qu'on prostituait dans quelques maisons-bâches.

1. *Malè pandye* : bombe à retardement.
2. Loterie populaire.

Il y avait des gangs, des armes et des intentions latentes d'ôter la vie, toujours pour de l'argent. Il se savait en danger en ce lieu, mais ce danger même le portait à vivre, s'insinuait dans son sang comme une drogue, le boostait. Fito connaissait la respiration du camp, sa forme, ses odeurs, ses éclats de voix et ses chuchotements. Les Cananéens n'avaient pas fait les rues étroites, si jamais on devait construire une ville, ou si jamais il y avait le feu. Si jamais…

Il venait pour la sixième fois ce soir, il venait toujours un vendredi. Chacune de ses visites était son commencement et sa fin. Après, il émergeait de Canaan exalté, mais inquiet. La poussière blanche du camp couvrant ses chaussures. Brûlant des stigmates de son propre dégoût. Déjà solitaire. Déjà luttant contre ses démons. Déjà sachant la fatalité du retour. Chaque fois son guide le menait dans une ruelle différente, à un point différent du camp. Il n'était pas très bavard, l'oncle, sauf pour lui indiquer les accidents du chemin. Sauf pour lui chuchoter parfois, question de le faire patienter : *Patron nou jwenn yon bon ti bagay pou wou wi. Bon zenzenn*[1] *!* L'oncle croisait parfois des hommes qu'il reconnaissait dans l'ombre de la nuit. Une rapide connivence. Ils se saluaient vite en se frappant les poings :

— Sak pase, baz ? Gason ap mache ?

— Anfòm, bròdè pa m… nèg poze[2]…

Fito ne savait jamais à l'avance vers qui il le menait. Mais la surprise valait toujours l'attente. Pour l'étude de

---

1. « Patron on t'a trouvé un petit bijou. »
2. « Salut, mon frère. On fait une petite trotte ? — Tout va bien, mon frère… tranquille… »

l'implantation des logements sociaux qu'il devait exécuter, il avait visité plusieurs camps, ceux de Port-au-Prince, le mégacamp de l'ancienne piste d'aviation de Bowen Field, un autre à Santo dans la plaine du Cul-de-Sac et finalement Canaan, l'indicible. Il avait fait des évaluations techniques, des relevés topographiques, il avait interrogé des déplacés sur leur mode de vie, sur l'approvisionnement en eau, leurs problèmes de transport, sur ce qu'ils attendaient d'un nouveau lieu de résidence. Il comprenait la nécessité de donner une réponse locale et rationnelle aux besoins. Il fallait faire un travail différent, respecter la douleur des gens. Ça ne servait à rien de venir avec des projets prêt-à-porter qui ne marchaient pas. Il fallait les éduquer, leur apprendre à vivre dans d'autres conditions et dans d'autres types de logements. Il fallait l'énergie et la foi qui soulèvent les montagnes pour combattre la corruption qui pourrissait les institutions, qui tuait l'espoir dans l'œuf. Fito s'enthousiasma, travailla, proposa, se battit contre les moulins à vent du système, s'acharna, déchanta, déprima. Le poids du statu quo le suffoqua. Canaan l'engloutit.

Nul étranger aux lieux ne pouvait prétendre retrouver seul son chemin dans cet immense camp, ce labyrinthe où vivaient près de cent mille âmes. Il y avait trop de façons de s'y perdre. On y pénétrait par plusieurs chemins qui se ressemblaient tous. Il fallait un guide, l'un de ces hommes qui vivaient de la chair et du sang du camp. Fito suivait son éclaireur, tendu, attentif à chaque détail s'ouvrant sous ses yeux. Il faillit bousculer l'homme qui s'arrêta soudain devant un carré aux cloisons de contreplaqué. À quelques pas, une femme assise sur un minuscule banc faisait bouillir des spaghettis dans une casserole. La fumée des tisons les enveloppa et épaissit la nuit. L'homme lui glissa quelques mots et elle hocha la tête, sans regarder dans la direction du visiteur. Le guide se tourna vers Fito et lui montra d'un signe de la main le rideau barrant la porte. Fito évita aussi de regarder la femme et, le front moite, se faufila sous le tissu. Il y avait une bougie allumée sur une soucoupe, à droite de l'entrée, une natte sur la terre battue de l'espace étroit, une chaise coincée entre la natte et la cloison en contreplaqué, et Mirline couchée sur la natte, la tête relevée par un oreiller, l'attendant. Comme l'avaient attendu Ketia, Fabiola, Rosemé, Esther, Medjine… Il leur demandait toujours leur prénom, c'est tout ce qu'il gardait de ses rêves éveillés à Canaan. Le guide lui avait dit que Mirline avait plus ou moins onze ans, qu'elle était orpheline depuis le séisme, qu'il était son oncle, qu'il faisait cela pour donner à manger aux autres enfants dont il s'occupait. Il disait la même chose chaque fois. Cet homme était sûrement l'oncle de toutes les petites filles à vendre du camp. Une histoire parmi tant d'autres. Vraie ou fausse, cela importait-il vraiment ? Tant qu'il y aurait une demande de chair fraîche, cet oncle tirerait des petites nièces de son chapeau comme un magicien de la déviance. Fito payait en dollars américains et à l'avance. Lui, il était sûr d'avoir cinquante-cinq ans, mais c'était son âge dans un autre monde, dans une autre vie. Elle portait un short en jeans, à l'ourlet effiloché, et un tee-shirt rose sans manches. À la place des seins, deux bourgeons se devinaient, durs, tendus de peur. Ses membres graciles bougeaient imperceptiblement. Elle n'avait pas encore de poils sous l'aisselle. Fito remarqua le vernis rouge écaillé sur les ongles de ses pieds et s'en irrita.

20

Les grands yeux de l'enfant absorbaient la lumière de la bougie. Sa peau noire luisait. Une multitude de petites tresses couronnait sa tête, son front, son nez aux narines épatées et tremblantes, sa bouche largement fendue. Elle sentait la feuille de basilic dont sa mère avait dû la frotter pour la protéger des malheurs visibles et invisibles. Une odeur verte et musquée qui le remua, provoqua le durcissement de son sexe affolé. Mirline, sans le toucher, instillait déjà une douceur insupportable dans ses veines palpitantes. Une jubilation au bord du vertige. Il en pleurerait. Elle était belle, presque irréelle. Fito s'agenouilla à côté d'elle. Il ne trouvait pas les mots à lui dire, mais son corps lui en chuchotait tant. Il la désirait tellement mais ne voulait surtout pas lui faire de mal. Comment le lui faire comprendre ? Elle remonta ses jambes et il absorba le mouvement souple des muscles de ses cuisses, de sa chair neuve, comme la tête d'une source. Fito transpirait à grosses gouttes, sa chemise était déjà trempée. Il serait resté à la regarder et à la toucher doucement, toute la nuit. Mais il n'avait qu'une heure pour frôler l'éternité sous la peau de Mirline. À Canaan aussi, le temps c'est de l'argent.

Je vais le dire ce soir à Golème quand il reviendra avec l'argent. Je n'en veux plus de son argent. C'est l'argent du diable. Il peut me quitter s'il le veut. Je sais qu'il a plein d'autres femmes dans le camp. Mirline n'est pas sa fille, il se fout de ce que je peux ressentir. C'est moi qui ne dors plus la nuit. Je sais, il va entrer dans une de ses froides colères. Il est capable de tout. J'ai peur qu'il ne me blesse avec son couteau, mais je remets ma vie à Jésus. Lui seul peut me sauver. Personne ne prendra ma défense, Golème leur fait peur aussi. Mais je ne veux plus envoyer Mirline sous la tente. C'est un péché que je commets. Un péché mortel. Je n'en peux plus. Cet argent me brûle les mains. Golème me contrôle la tête et je ne sais pas lui dire non. Je suis folle. Comment peut-il me faire faire une chose pareille ? Pourquoi l'ai-je suivi jusqu'à Canaan ? Cet endroit n'est pas fait pour des humains. Les loups-garous y volent en plein jour. Pourquoi je le laisse venir dans mon lit quand il veut ? Il me dit que Mirline c'est rien que du business. Qu'elle n'en mourra pas. Il dit qu'il y a des pays où l'on marie les petites filles de dix ans, qu'il a vu ça dans un film. Il me dit plein de choses qui me brouillent la tête. Il fait fuir mon bon ange. Mais ma vérité c'est le regard de Mirline qui m'obsède, ses yeux trop grands qui me regardent jusqu'à l'intérieur. Je le dirai ce soir à Golème. Cette fois je suis décidée. Je vais me trouver du travail. N'importe quoi, bonne ou marchande ambulante. Je trouverai aussi quelqu'un pour garder les enfants. Mon Dieu donne-moi du courage. Peut-être devrais-je parler au Pasteur. Peut-être qu'il prierait pour moi, avec tous les autres, et qu'ils chanteraient des cantiques pour moi. Peut-être qu'ils m'emmèneraient jeûner sur la montagne, à Désermite, qu'ils étendraient leurs mains sur moi pour chasser Satan de ma tête et me laisser vivre en paix avec mes cinq enfants. Peut-être qu'ils pourront sauver Mirline avec l'aide du Saint-Esprit. Peut-être devrais-je me rendre au temple et leur demander à tous pardon pour mes péchés ? J'ai peur de Golème et de son couteau. Jésus, ma vie et celle des enfants sont entre tes mains.

Le climatiseur soufflait un air glacial. Calé dans son fauteuil, les deux pieds posés sur son bureau, Fito alluma une cigarette. L'étude fermait le samedi, mais il était venu très tôt ce matin-là pour faire avancer du travail en retard. Il allait partir dans une demi-heure pour l'aéroport. Tatsumi arrivait de New York. La perspective des embouteillages sur Delmas un samedi midi assombrit son humeur. Il redoutait aussi l'intrusion de cette femme dans sa vie. Il s'en voulait de lui avoir offert de l'accueillir à son arrivée. Qu'est-ce qui lui avait pris ? Il aimait passer ses samedis après-midi chez lui, avec du scotch on the rocks et Miles Davis sur la chaîne hi-fi, avant de retrouver, le soir venu, la femme de sa vie du moment et remplir ses devoirs d'homme. Gaëlle l'attendrait sûrement, mais aujourd'hui il donnerait priorité à Tatsumi et l'inviterait à dîner puisqu'elle était en quelque sorte son hôte. Il laissa son fauteuil et se rendit à la cafétéria.

Son humeur adoucie par le café chaud et sucré qu'il venait de finir, il soupira profondément en se massant les tempes. Il pensa à Jacques, son associé, son ami, qui avait péri sous sa maison avec sa femme et leurs deux enfants, ça faisait juste un an. Quand finirait-il par faire ce deuil? Il ne savait comment le remplacer, ne le voulait peut-être pas et se tuait au travail depuis de longs mois. Il s'était absorbé dans ses activités toute la matinée, allant de son ordinateur à sa photocopieuse, révisant des colonnes de chiffres, lisant des rapports, envoyant des e-mails. Il voulait oublier sa soirée à Canaan, Tatsumi qui arrivait de New York, Gaëlle qu'il n'avait pas vue de toute la semaine et dont il ne prenait pas les appels. Rentré chez lui la veille au soir, il avait bu coup sur coup deux scotchs bien tassés et puis avait dormi comme une souche. Ce soir il inviterait Tatsumi à dîner. Mais avant il l'emmènerait chez Franck, il voulait lui présenter ses copains, question de tuer le temps et de leur en boucher un coin. Il était sûr que Gaëlle en ferait un drame, mais tant pis.

Dans ses courriels à Tatsumi, Fito avait oublié de lui parler de Gaëlle, comme il avait oublié de mentionner d'autres choses de sa vie. Comme Canaan. Gaëlle pour qui il avait divorcé de sa deuxième femme et qui, depuis six ans, attendait qu'il l'épouse. Il avait fait une folie pour cette femme, elle était un trophée qui parait bien sa nouvelle gloire d'écrivain à succès. Une célibataire frisant la quarantaine, bien roulée, sophistiquée, sportive, profession libérale, elle avait tout pour, selon la formule, le rendre heureux. Ils étaient le couple à la mode, ils faisaient scandale. Gaëlle, qui s'impatientait aujourd'hui, voulait venir habiter avec lui. Elle essayait le chantage, elle disait qu'un homme lui faisait la cour et qu'elle allait lui dire oui. Gaëlle qui voulait un enfant à en crever. Gaëlle si tu savais. Je me fous que tu sortes avec un autre. En fait, je le souhaite de tout mon cœur. Peut-être te donnera-t-il ce gosse de tes rêves. Je ne veux pas me marier avec toi, je serais ton enfer et tu serais le mien. Ça fait longtemps qu'on s'est déconnecté. Je ne t'aime plus. Je n'aime plus personne. Je vis dans une sorte de trou où je me cache pour m'échapper de moi-même. *Bull-shit d'écrivains!* me dirais-tu sûrement. Ta langue est vive, Gaëlle, cela aussi me plaisait en toi, mais aujourd'hui elle me blesse et m'ennuie ta langue. Elle ne réveille plus mon sexe blasé de toi. J'ai des éblouissements quand je suis dans le ventre de Canaan. J'y cherche quelque chose ou quelqu'un dont l'absence me fait terriblement mal. Et parfois je crois le trouver. Mirline me l'a donné hier soir, un fugace moment. Pourrais-tu comprendre ça, Gaëlle? Si je te l'avouais, me rejetterais-tu? Tu veux vraiment savoir pourquoi je fuis ton appartement et ton lit? Parce que je n'arrive pas à être un homme avec toi. Ni avec aucune autre femme. Ce soir je ne vais pas bander non plus pour Tatsumi dont je ne te parlerai même pas. Je n'y arrive plus, Gaëlle. Sauf à Canaan.

Comment l'a-t-il su? Comment cet oncle aux innombrables nièces savait-il que Fito était une proie facile? L'un de ces messieurs d'un certain âge de la bourgeoisie qui rafraîchissaient leurs nostalgies, leurs frustrations et leur angoisse de vieillir dans les corps nubiles de petites filles soi-disant orphelines. Qui aimaient se frotter au peuple, pour s'équilibrer par l'odeur, les mots, les vibrations des enfants du peuple. On les appelle aussi pervers ou pédophiles. Pédophile… Quel mot affreux, pensa Fito avec un frisson. Comment en suis-je arrivé là, mon Dieu ? L'oncle l'avait-il senti dans son mal-être qu'il camouflait aux autres ou dans le souffle insipide qui l'enveloppait à tout instant ? Fito ne le savait pas lui-même avant cet appel sur son portable venant d'un inconnu qui l'invitait à traverser dans l'obscurité les ruelles aveugles d'un paradis perdu sur la route du Nord. Il ne savait pas qu'il marchait sur un gouffre depuis tout ce temps. L'oncle nyctalope fouilla d'un seul regard la nuit de son âme, vit le gouffre et le lui montra. Il n'hésita pas longtemps avant de s'y jeter. Il aimait les enfants pourtant et ne leur voulait pas de mal. Il avait divorcé de sa première femme parce qu'elle ne pouvait pas lui en donner. Il avait une adorable fille de son deuxième mariage, une ado, Candice, il voulait qu'on la respecte, mais elle vivait dans un autre monde, dans une autre dimension. Il avait laissé sa carte de visite à des gens lors de ses passages dans les camps de déplacés. À des gens qui cherchaient du travail, des kits de toilette, des rations de nourriture ou des pédophiles en puissance, à des contacts qui le guidaient à travers les camps dans ses tournées avec les responsables de l'agence de financement du projet. Il ne savait pas dire non, ne savait pas ériger des murs entre lui et les autres. Il ne s'était pas encore endurci comme nombre de ses collègues locaux ou expatriés, experts de l'humanitaire ou fonctionnaires de l'État, journalistes bien intentionnés ou cyniques, tous ceux qui vivaient de la misère de tous les Canaan du pays et d'autres cieux et la vendaient au reste du monde. Il avait encore des coups de colère, des états d'âme et des attaques de panique. L'oncle avait décelé la faille au mitan de son être et s'y était infiltré. Il le menait par la queue, comme on mène avec une simple corde de chanvre un bœuf à l'abattoir. Quand il sortit dans la rue il commença à pleuvoir.

Dans la foule pressée contre le grillage les souffles se mêlaient. Des gouttes d'eau dégoulinaient d'un parapluie rouge chevauchant le sien, glissaient sur ses épaules, sa chemise collait sur son dos. Il changea de position, trouva un poteau où s'appuyer. Trois quarts d'heure sur ses deux pieds, il avait mal aux reins. Surtout ne pas s'énerver. Une heure trente de l'après-midi. L'avion avait du retard. Il faisait chaud malgré la pluie. Une chaleur plutôt inhabituelle pour janvier. L'eau remontait en vapeur tiède de l'asphalte. La lumière métallique tombant des nuages blessait les yeux. Il tâta la poche de sa chemise et sortit son paquet de cigarettes. Vide. Il fit nerveusement une boule du papier cellophane qui crissa dans son poing.

Il soupira, il donnerait sa vie pour une tasse de café chaud. Dans cette chaleur moite un bon café brûlant harmoniserait la température intérieure de son corps à celle de l'extérieur et shooterait une dose de caféine à ses neurones pour au moins trois heures de temps. Qu'est-ce qu'il foutait à l'aéroport à attendre une Japonaise, une quasi-inconnue qui ne pouvait pas tomber plus mal? Il avait le don de se fourrer dans les emmerdes. Un vrai don.

De son point d'observation il n'avait aucun moyen de savoir ce qui se passait au terminal de l'aéroport. Pas de tableau affichant l'horaire des vols, pas de salle de réception. Il fallait attendre de l'autre côté de la rue tout simplement. Des petits groupes de passagers quittaient la salle de contrôle douanier, rapidement happés par la foule en attente. Le bruit lourd des roulettes des bagages sur la longue allée vers le parking emplissait l'air d'un bourdonnement métallique. Chassés par la pluie les *red cap* rappliquaient en vitesse et se disputaient les bagages à chaque vague de voyageurs. Quelques mendiants scotchés sur l'autre côté du grillage interpellaient les débarqués en anglais. *Hey, Sister, I am hungry*[1]... Il se fit violence pour ne pas partir.

Il s'amusa un instant à anticiper son premier contact avec la femme. L'instant où ils s'embrasseraient du regard. Que lui dire quand il la verrait? Il chercha des mots, des formules qui lui parurent raides. Dans un e-mail on pouvait dire des tas de choses, se laisser aller, se laisser rêver, s'apitoyer ou s'exciter sur soi-même. Il lui avait menti sans vergogne, se prétendait heureux, la reconstruction du pays allait bon train, tout baignait dans l'huile. D'autres fois, il effleurait ses doutes. Il lui avait même parlé de son blocage, il n'avait rien écrit depuis cinq ans. Bloqué à mort. Et le whisky tous les soirs, qui n'arrangeait rien. Mais il lui aurait dit tant de choses, tant de choses encore, comme ses insom-

---

1. «Salut, ma sœur, j'ai faim...»

nies, ses naufrages à Canaan, s'il avait voulu. Mais pourquoi le faire puisqu'elle n'existait pas vraiment, elle n'était qu'une oreille virtuelle dans l'espace cybernétique. Il s'arrêtait toujours avec elle au bord de son précipice. Elle avait sa vie à Tokyo, lui avait la sienne à Pétion-Ville. Une même planète mais deux mondes à des années-lumière. Il n'aurait jamais cru lui faire face un jour. Il ne l'avait jamais souhaité non plus. Il y avait sûrement un malentendu. Tout arrivait trop vite. Elle serait là dans un moment, abolissant la distance, menaçant ses vérités. La poisse.

Il pensa au plaisir, au pur plaisir de posséder cette femme. Pendant un temps de sa jeunesse, il avait fantasmé sur les Asiatiques et leur mystère, aidé par des magazines spécialisés. Sans doute un apprentissage auquel tout homme normal se soumettrait volontiers. Voyager dans un autre corps, ouvrir les frontières du plaisir. Mais voilà, lui n'était pas normal, il le savait. Il n'était plus normal depuis que, armé d'une lampe de poche et suivant le pas rapide d'un guide, il s'était faufilé dans les corridors de Canaan, un vendredi soir où les étoiles jetaient une lumière sombre sur le plastique des tentes du camp de déplacés. Il n'avait pas dit cela dans ses courriels à Tatsumi. On ne raconte pas ces choses-là aux étrangers, ni à personne.

Et elle ? Il n'y avait pas que les hommes à courir après le plaisir. À cinquante-cinq ans et deux divorces il le savait. Tatsumi avait-elle eu les mêmes pensées lubriques ? Sans doute. Tous des coureurs et coureuses d'aventures, ces journalistes. La solitude et le désœuvrement hantent les mégapoles comme Tokyo et enfantent des zombies modernes. Certains s'en échappent en devenant journalistes ou expatriés de l'humanitaire. Sous son petit air innocent, elle avait sans aucun doute soif de sensations fortes. Son année sabbatique de prof de littérature francophone à peine commencée, un journal de Tokyo lui avait offert un contrat pour réaliser un reportage sur Haïti. Elle venait voir le pays un an après le séisme. Et à qui pensa-t-elle en sautant de joie à la nouvelle ? À lui, évidemment. Si elle savait. Mais qu'attendait-elle de lui ? Des émotions ? De la tendresse ? Du sexe ? De l'amitié, il lui en avait déjà donné assez dans ses messages et commençait à le regretter. Elle persistait à le considérer comme un écrivain génial. Elle l'admirait. Elle voudrait qu'il écrive encore. Elle l'emmerdait. Il bloquait depuis cinq ans. Son premier succès avait dévoré son âme. L'ami d'un ami à l'étranger lui avait présenté un éditeur à un cocktail et son manuscrit avait été accepté du premier coup, enfin après quelques ajustements. Un petit miracle car il avait écrit ce roman sans trop y croire, sans complexes ni prétentions, poussé par un insolite besoin d'explorer l'envers du monde de chiffres et de schémas qui était le sien. Comme une illumination, il avait trouvé le titre du roman et commencé le même soir à l'écrire. Trois cent mille exemplaires vendus. Un prix littéraire en Haïti, deux en France, un autre à Cuba. Traduction en huit langues. On parla de l'émergence fulgurante d'une singulière voix de la littérature de la singulière Haïti. Certains lui prédirent une carrière glorieuse, d'autres, réalistes ou envieux, prévoyaient déjà les effets pervers d'un succès trop rapide et peut-être pas mérité. En tout cas, sa vie devint pendant près d'une année une suite de tournées à l'étranger, d'interviews, d'alcools, de sexe, de sollicitations pressantes de femmes et d'hommes qu'il ne connaissait pas. Pétion-Ville était brusquement un tremplin vers l'euphorie. Mais arrivèrent aussi dans ses nuits la peur et le vide. On attendait un second roman, on l'attendait vite, on voulait qu'il soit aussi bon que le premier. L'éditeur patientait et le lui faisait savoir. La petite phrase prévisible et redoutée revenait dans la bouche amicale de ceux qu'il rencontrait : *À quand le prochain ?* Ces gens ne savaient pas, ne pouvaient pas savoir qu'ils le mutilaient chaque fois.

Le tourbillon des extravagances calmé, il chercha mais ne retrouva plus l'obsession qui l'avait tenu ému, inquiet, éveillé des nuits, seul avec ses cigarettes, son alcool, son ordinateur et des vagues de vie montant à l'assaut de son corps. Il se mourait lentement de ce besoin-là, depuis trop longtemps. Il perdit même le goût de lire. Tatsumi ne semblait pas le comprendre. Elle l'avait sans doute désiré dans l'intervalle des mots échangés. Mais elle se trompait d'aéroport et d'homme. Ce qui lui restait d'émotion il l'avait laissé à Canaan.

Elle avait une voix d'enfant, une queue-de-cheval, la face ronde et plate, un nez petit et droit, des lèvres épaisses, bien ourlées et comme teintées de vin rouge. Pas de bijou ni de maquillage. Son regard pétillait, frangé de longs cils. Une face lisse, sans une ride, sans âge. Un corps plat qu'il devinait sous un tee-shirt trop large tombant sur son jeans. Elle pourrait aussi bien être un jeune garçon. Une femme enfant. Elle souriait sous la pluie, le visage trempé. Il la trouva jolie mais elle ne l'émut point. Quand elle sortit dans la rue, il devança les *red cap* et bouscula un chauffeur de taxi qui insistait pour l'emmener. Elle devait l'avoir reconnu aussi, son visage s'illumina. Il prit sa valise sans un mot et commença à se faufiler dans l'enchevêtrement de corps, de malles et de voitures. Elle le suivait, collée à lui pour ne pas le perdre.

Il arriva à sa Jeep et déposa sur le sol la valise. Il lui tendit finalement la main.

— Tatsumi ?

— *Hai !*

— Fito… enchanté…

— *Hai! Hai!* Enchantée…

— Bienvenue en Haïti. Vous avez fait bon voyage ?

— *Hai !*

Il trouva drôle sa façon de pencher le buste, par petits coups, comme une poupée cassée, en émettant des sons brefs et doux qui voulaient sûrement dire bonjour, d'accord, je t'écoute ou n'importe quoi. Ils restèrent un moment indécis. La pluie avait cessé. Il chercha ses clés et ouvrit la malle arrière du véhicule. Il prit sa valise en même temps qu'elle se penchait pour la ramasser. Ils se frôlèrent. Fito se décrispa et lui sourit. Il sentait sa curiosité, elle absorbait son nouvel environnement. Il essaya d'imaginer ses impressions.

Sur trois kilomètres l'avenue Martin-Luther-King, ou plus modestement la rue Nazon, offrait au regard de Tatsumi le spectacle de ses maisons fracassées, des piles de gravats encombrant encore les trottoirs, de l'étonnement du béton fracturé et des fers tordus qui tendaient toujours leurs bras vers un ciel indifférent. Sur la droite, en contrebas de la route, s'ouvraient des bidonvilles denses. Et au milieu de tout ça, les affiches de toutes dimensions et couleurs des candidats aux élections en cours, des affiches partout, sur les murs debout ou cassés, sur les pylônes électriques, les portails des maisons, les bennes à ordures, recouvrant les panneaux publicitaires. De temps à autre, sortaient de la nuée de petites affiches les mégapanneaux des candidats présidentiels ou parlementaires aux reins financièrement plus solides. Le trafic était comme d'habitude, fou. Les motos-taxis pressées se faufilaient par saccades nerveuses entre les files de voitures. Des groupes de piétons en attente aux carrefours se ruaient sur les tap-tap ou les obama[1], se frayant un chemin à coups de coude. Il n'y avait aucune beauté nulle part et Fito en ressentit de la colère.

Elle parla, pour tuer le silence.

— À l'atterrissage, les passagers ont applaudi… j'ai aimé la spontanéité de ces gens. Ils étaient heureux d'arriver chez eux… malgré tout.

Fito ne sut que répondre à ce commentaire qu'elle faisait pour le soulager de sa gêne, il l'avait compris. Il n'eut pas le temps de chercher une réponse, elle continua :

— Ah… quelle chaleur! J'ai failli m'évanouir en marchant sur la piste.

Elle s'arrêta un moment, regarda la carcasse d'un immeuble de trois étages figée dans un équilibre aberrant. Elle sourit et lui dit en cherchant son regard :

— Mais je crois honnêtement que mon malaise venait beaucoup de l'alcool que j'ai bu dans l'avion. On ne peut imaginer cette chaleur tant qu'on ne s'y trouve pas. À New York il faisait si froid.

En parlant, elle essayait de se défaire d'un petit chandail de laine qu'elle portait par-dessus son tee-shirt. Elle s'acharnait, tirait, peinait, tout en continuant de parler. Fito s'intéressa à son manège.

— Et voilà que tout à coup il se mit à pleuvoir sur la piste, malgré le soleil! formidable!…

— Ce phénomène est courant sous les tropiques, lui dit-il.

Quand elle passa le chandail par-dessus sa tête, elle sou-

---

1. *Tap-tap, obama* : deux types de véhicules de transport public.

pira longuement de soulagement et éclata de rire. Fito en fit autant.

— Vous… heu… on se tutoie, Tatsumi?

— C'est d'accord!

Il découvrit ses fossettes.

— Tu n'as pas eu trop de problèmes à la douane? Je regrette de n'avoir pas pu trouver un laissez-passer pour t'aider avec tes bagages. Je sais comme ça peut être difficile là-dedans. Depuis le séisme, débarquer ou embarquer à l'aéroport est un vrai parcours du combattant.

— C'est gentil… mais le plus dur était la chaleur… J'ai eu de la chance, ma valise n'a pas mis beaucoup de temps à arriver sur le tapis roulant. Sauf que, dans la salle, il faisait plus étouffant encore.

Qu'elle arrête de parler de la chaleur, bon Dieu! Mais d'où sort-elle? Où se croit-elle? Tu es en Haïti, Tatsumi, en HAÏTI. Nous sommes en janvier et c'est pratiquement l'hiver, si tu me comprends. Bienvenue au purgatoire, chérie. Son agacement montait rapidement. Il freina brusquement pour éviter un chien qui filait devant la voiture. Tatsumi s'équilibra des deux mains sur le tableau de bord.

— Il faudra que tu t'habitues au trafic en ville, Tatsumi. Ici on passe plus de temps à esquiver les piétons, les motos-taxis et les ornières qu'à la conduite même.

— C'est bon… j'ai visité des villes difficiles… j'ai traversé les quartiers chauds de Calcutta… Cape Town… Téhéran…

Mais pourquoi devait-elle dire des choses gentilles? Pour le soulager, peut-être? Fito rongeait son frein, incapable de s'expliquer son énervement grandissant. Il se foutait de sa compassion, elle perdait son temps. Ici la compassion a un prix, c'est du business. Ses mains étaient crispées sur le volant. Il s'en rendit compte, inspira profondément, se relâcha un peu. Il lui fallait fumer, maintenant, à tout prix. D'un mouvement brusque du volant il se gara sur le côté gauche de la route, devant le parasol vert d'un marchand de bonbons et de cigarettes. Il baissa les fenêtres de la voiture. Il dut parler très fort, le jeune homme sous le parasol écoutait de la musique avec un casque et essayait de lire les mots sur ses lèvres. Surtout ne pas sortir de la voiture, lui arracher le casque des oreilles et le lui faire bouffer à ce jeune imbécile. Fito acheta deux paquets de mentholées, en ouvrit un et sortit une cigarette. Il hésita une demi-seconde avant de l'allumer puis fit jaillir la flamme de son briquet d'un coup de pouce rageur. Il se savait odieux mais n'y pouvait rien. Il inhala une longue bouffée. Mieux, bien mieux… Un peu de la fumée soufflée par la fenêtre revint dans la cabine.

— Mmmm… excuse-moi, Tatsumi, je devais fumer.

— *Hai!*

Fito ne put voir le regard de Tatsumi se voiler aussi de fumée.

À la pension de famille où elle devait loger, il s'occupa rapidement des formalités d'enregistrement, l'aida à la conversion en monnaie locale de ses dollars américains. Il avait demandé de lui réserver un téléphone portable qu'il lui remit. Il s'occupait de tout, s'inquiétait de son confort, de ses repas, mais il avait l'esprit ailleurs. Il voulait partir vite. Tatsumi approuvait tout, reconnaissante. Elle aima son logement à l'étage, qui surplombait un petit jardin. Le quartier de Pacot lui plaisait malgré un grand nombre de maisons tombées, tous ces arbres rassuraient, après Delmas et Nazon. Il avait réservé l'appartement pour douze nuits. Vivement la fin de son séjour. Il prit congé d'elle en lui donnant rendez-vous pour dîner dans quelques heures.

— Don Fito Belmarrr! *Que tal, hombrrre*[1] *?*

Franck souleva presque Fito de terre dans une accolade enthousiaste. Fito reconnut l'émotion du troisième ou du quatrième whisky. Franck devenait hispanophone à partir de ce niveau d'alcool dans son sang. Il aperçut enfin Tatsumi derrière la grande taille de Fito.

— Mais qui nous amènes-tu là, *amigo*? Quel est cet oiseau exotique? *Bellisima! Bellisima!* Messieurs, voilà pourquoi nous ne voyons plus notre architecte... Ça fait quoi... un mois... deux mois... depuis que tu n'as pas mis les pieds ici? Tu nous manques, vieux...

Franck prit la main de Tatsumi et la baisa, il ne la lâchait pas des yeux, un examen serré de connaisseur. Fito fit les présentations et regretta son idée. Tatsumi n'appartenait pas à cet endroit où sa fragilité détonnait. L'antre d'un triple divorcé, une garçonnière sur le toit d'une maison de trois étages, où des hommes mariés et célibataires se rencontraient pour boire, parler cul et politique, ou

---

1. « Comment vas-tu, mon ami ? »

l'inverse. Parfois des filles s'amenaient et c'était la joie. Franck était un amphitryon racé, un bel esprit et son bar ne décevait jamais ses amis. Il avait derrière lui une longue carrière d'ingénieur civil au ministère des Travaux publics, Transports et Communications. Il connaissait bien la politique et les politiques du pays. L'actualité transitait par sa garçonnière. Il adorait ses copains mais, en général, pas leurs épouses. Alors il leur ouvrait son oasis pour quelques instants d'oubli quand la vie du foyer leur pesait trop. Tatsumi ne disait rien et se contentait de sourire. Fito introduisit Tatsumi aux autres amis présents, Robert, Maxime et Guy-Serge confortablement installés dans de profonds fauteuils et suivant un match de foot à la télé. Marc Anthony chantait *Necesito amarte* en sourdine sur la chaîne hi-fi. Fito avait besoin d'un verre et vite. Franck lut dans ses pensées. Il les mena vers le bar.

— *Scotch on ice, mi hermano?* Et pour la belle Tatsumi, un jus d'orange, du Coca-Cola?

— Naturellement… scotch pour moi, dit Fito.

— Pour moi ce sera un scotch aussi, précisa Tatsumi.

Franck lui coula un regard approbateur. Décidément ce tombeur de Fito n'arrêterait jamais de l'étonner. Où était-il allé débusquer cette jolie petite femme, une poupée aux yeux bridés qui buvait du solide? Les fantasmes de Franck partaient déjà vers le soleil levant.

Les trois amis bavardèrent un moment. Franck était intrigué et posait beaucoup de questions à Tatsumi. D'où elle venait, qu'est-ce qu'elle faisait dans la vie? Tatsumi essayait de son mieux de trouver les mots pour étancher la soif de son hôte. Elle prenait de toutes petites gorgées de son whisky tout en parlant. Fito se souvint qu'à son arrivée Tatsumi avait parlé de l'alcool qu'elle avait bu dans l'avion. Il y avait le corps d'enfant de Tatsumi, son rire juvénile et, en dessous, une femme qui aimait boire et courir le monde. Elle l'étonnait. Il l'avait revue comme pour la première fois une heure plus tôt en passant la chercher pour dîner. Elle l'attendait au petit salon du rez-de-chaussée de la pension. Sa robe en jersey bordeaux moulait son corps étroit et rehaussait la couleur naturelle de ses lèvres portant juste une touche de brillant. Pas de maquillage. Pas de ventre, presque pas de fesses, des jambes bien galbées pourtant, des petits seins ronds et plats sous le tissu souple. Elle ne portait pas de soutien-gorge. Ses cheveux droits et noirs tombant jusqu'à sa taille contrastaient fortement avec sa peau laiteuse et sa robe rouge. Il vit ses pieds dans ses sandales à talons hauts. Pas de vernis. Il aima. Elle sentait bon comme une pêche de Kenscoff. Rien à voir avec la femme en tee-shirt et jeans qui avait débarqué de l'avion en début d'après-midi. Mais elle était toujours aussi bavarde et ne lui avait épargné aucun détail de ses premières heures de séjour. Elle avait déjà trouvé un chauffeur de taxi et s'était entendue avec lui pour ses visites et ses rendez-vous planifiés depuis Tokyo. Elle paraissait en forme et décidée à se prendre en main, elle se passait déjà de lui, il ne put s'empêcher de le remarquer. Elle devait visiter trois camps, rencontrer des responsables d'ONG, des leaders politiques de droite et de gauche et même un ministre du gouvernement. Elle projetait de visiter Léogâne et Jacmel dès le lundi suivant. Il lui recommanda d'être prudente et d'utiliser seulement les services de personnes recommandées par la pension.

42

Franck retrouva les autres messieurs pour la seconde mi-temps du match. Verres en main, Fito et Tatsumi s'installèrent dans un canapé pour deux. Il faisait une lumière indigo, la nuit s'installait en maraude dans les branches touffues des acajous coiffant la terrasse. Des chauves-souris commençaient leurs rondes aveugles. La température à Montagne-Noire fraîchissait vite. Fito avala une gorgée d'alcool et sentit la vie couler dans sa poitrine. La douce chaleur le sauvait des ombres appuyées contre ses tempes. Il voulait tellement se relaxer un peu. Il se sentit beaucoup mieux. Absorbés par la télé, les autres ne leur prêtaient pas attention.

— J'avoue que Franck est assez… exubérant, Tatsumi. J'espère qu'il ne t'a pas froissée.

Tatsumi sirotait son whisky. Elle était une buveuse lente et semblait détendue. Ses petits yeux absorbaient la scène, elle levait de temps en temps la tête pour regarder le ciel d'une pureté lisse.

— Oh, pas du tout! Franck est gentil… à sa façon. J'apprécie beaucoup que tu m'emmènes chez tes amis. J'aime ce quartier et cette maison aussi. Ces arbres sont magnifiques! On ne se croirait pas…

Elle n'acheva pas sa phrase mais Fito la devina.

— Oui… on est bien ici, on fait ce qu'on veut. Franck t'écoute si tu as besoin de parler et te laisse tranquille quand tu viens chercher un moment de solitude et de paix. Lui, il a ses livres, sa télé, son whisky et ses rentes. C'est un pur produit de la classe moyenne aisée haïtienne, une espèce en voie de disparition, héritier d'une demi-douzaine d'immeubles à Port-au-Prince et à Pétion-Ville qui lui assurent une retraite confortable. Et veinard avec ça. Il n'a perdu aucun de ses immeubles dans le séisme. De temps en temps une fille passe le voir. Il s'occupe de plusieurs petites amies à la fois, leur paie des cours d'informatique, des minutes de recharge pour leurs portables, des séances de tressage de cheveux, l'écolage du petit frère ou le fermage du logement familial. La dernière en date va passer son bac cette année, enfin c'est ce qu'elle dit. Un homme qui a quelques moyens est recherché en Haïti, c'est un oiseau rare, un gros lot en pantalon. Le plaisir est sans limites, bon marché et à portée de main. Et comme l'argent avec lequel il achète ce plaisir facile fait vivre des familles, cet homme devient philanthrope et pilier de l'économie nationale, et tant mieux pour sa conscience. Tu as dû sûrement constater le même phénomène dans les pays... difficiles que tu as visités ?

Un ange passa. Dans l'ombre Fito observa Tatsumi. Il la testait. Quelle sorte de journaliste était-elle ? Étaient-ce des choses qu'il aurait dû dire à une Japonaise ? C'était quoi, en fait, une Japonaise ? Certainement une femme, comme toutes les femmes de la terre, qui aimait plaire à un homme. Une femme d'autant plus femme qu'elle se trouvait libre de son corps et de son esprit, à mille lieues des contraintes et des tabous de sa société. Mais elle devait avoir ses propres codes, d'autres repères. Quel était son regard sur ce qu'elle avait vu depuis quelques heures, son vrai regard, celui dont les journalistes ne parlent peut-être jamais ? Il ne savait sur quel terrain il se trouvait avec elle, alors il décida de lui parler comme s'il y avait entre eux un pacte de vérité, enfin de presque vérité. Tatsumi ne releva pas la question de Fito. Elle dit d'un ton qui se voulait léger.

— Vous vous connaissez depuis longtemps, Franck et toi ?

Fito comprit qu'il l'avait choquée, elle avait simplement éludé sa question sans rien laisser paraître de ses émotions. Le langage direct n'était évidemment pas le trait de caractère dominant des Japonais. C'était cela le choc culturel. Chaque mot, chaque phrase qu'ils échangeraient serait un écueil ou une découverte. Mais il ne lui avait pas demandé de venir jusqu'ici et la diplomatie n'était pas son fort. Il décida de ne pas se stresser, les paroles viendraient comme la brise, comme le froissement des feuilles au-dessus de leurs têtes, sans calcul et sans direction. Il lui répondit avec la même pseudo-légèreté.

— Oui et non… Franck était plutôt l'ami et le condisciple de mon frère aîné, Marc, qui vit aux États-Unis depuis très longtemps. Bien des années plus tard, j'ai retrouvé Franck dans le milieu professionnel haïtien et il m'a invité dans le cercle de ses connaissances. Il a divorcé trois fois, moi j'allais vers un second divorce… l'amitié de ces messieurs m'a soutenu. Le whisky aussi… ajouta Fito en souriant.

Le rire de Tatsumi s'égrena dans le soir neuf. Elle tourna la tête vers lui pour chercher ses yeux, il regarda ailleurs. Franck s'approcha d'eux. Le match de foot venait de se terminer.

— Alors Fito ? Heureux ? Grand cachotier, va !

Fito comprit l'allusion de son ami. Il croyait Tatsumi sa petite amie et c'était une présomption naturelle, vu les circonstances. Il ne voulait pas détromper catégoriquement Franck pour ne pas laisser à Tatsumi l'impression que c'était une possibilité non envisageable. Il risquerait de la froisser. Il ne voulait pas non plus suggérer un flou artistique qui ferait croire à Tatsumi que tout était possible. Il ne connaissait plus les femmes, ne les poursuivait plus, ne se reconnaissait plus. Tatsumi était gentille mais le laissait froid. Ses frissons dormaient à Canaan. Une main glaciale le saisit au cœur à cette évocation. Mais pourquoi il y repensait, ici, maintenant?

— Nous nous sommes rencontrés aujourd'hui pour la première fois, Tatsumi et moi. Mais nous échangeons des e-mails depuis quelques mois… on a fait connaissance virtuellement… Tatsumi est prof de littérature francophone, avec un penchant particulier pour les écrivains caribéens. Mais elle est surtout venue faire un reportage sur la situation du pays pour un journal de Tokyo… Je lui sers disons… de conseiller pour son séjour…

— Hmmm… je vois, conclut Franck, une lueur malicieuse dans les yeux. Nous le croyons, n'est-ce pas messieurs?

Maxime, Robert et Guy-Serge se rapprochèrent, verre en main.

— Moi, j'aimerais bien être votre conseiller de séjour, Tatsumi. Je suis aussi un bon guide, le meilleur en ville…

Robert tapa un grand coup dans le dos de Fito, sur la chaussure duquel son geste fit tomber un peu de l'alcool de son verre.

— En tout cas, moi, je le crois, commenta Maxime l'air

innocent. À ton âge, Fito, ce serait tendancieux de sortir avec cette… enfant. Elle est à l'évidence mineure…

— Oui… approuva Guy-Serge. Je me demande comment elle peut voyager seule aussi loin de chez elle. Avez-vous l'autorisation de vos parents, Tatsumi ?

Tous les quatre partirent d'un éclat de rire épaissi par l'alcool. Franck fut pris d'une quinte de toux, ses yeux naturellement globuleux semblaient vouloir lui sortir de la tête. Guy-Serge alla lui chercher un verre d'eau. Ils plaisantaient de bon cœur mais leur plaisanterie agaça Fito. Qu'est-ce qu'il foutait là à écouter ces abrutis débiter des grossièretés en présence de Tatsumi ? Et pourquoi parler de son âge ? C'est vrai qu'elle paraissait jeune, qu'elle avait un corps d'enfant, mais à quoi pensait Maxime, bon Dieu ? Il ne s'était pas encore confié à Franck ni aux autres à propos de ses virées à Canaan. Il s'en félicita. Peut-être auraient-ils lâché une allusion perfide ? Finalement, ils n'étaient qu'une bande de dépravés, alcooliques fonctionnels comme lui, aimant la chair fraîche et sauvant leurs dernières illusions entre les cuisses de fausses écolières ou de demi-vierges qu'on trouvait treize à la douzaine dans les rues de la ville. Fito finit son deuxième whisky et décida de s'en aller. Il prétexta qu'il emmenait Tatsumi dîner, c'était un peu vrai, mais il voulait surtout quitter les lieux.

— *A donde vas*[1] *?* Tu pars déjà ? Mais tu arrives à peine, Fito… Julienne nous prépare son consommé de tête de cabri du samedi, hmmm… hume-moi ça… *una maravillosa* !…

1. « Où vas-tu ? »

Le couvert est déjà mis… regarde les piments-boucs sur la table.

Franck essayait de retenir Fito en lorgnant sans retenue Tatsumi.

— Non merci… désolé, Franck. Une prochaine fois. Nous avions décidé de dîner au restaurant.

— *Bueno!*… Mais tu reviendras avec Tatsumi? Promis?

— Pas sûr, Franck. Elle ne reste pas longtemps…

— Hmmm… *Entonces, hasta luego*[1]*!* Reviens me voir bientôt… On doit se parler.

Fito fronça les sourcils. Que voulait dire Franck? De quoi devaient-ils se parler? Ou était-ce juste une phrase en l'air?

— On va dîner, viens!

Fito prenait déjà le bras de Tatsumi qui se dépêcha de ramasser son sac à main.

1. «Alors, au revoir!»

La vie nocturne avait étendu ses ailes sur Pétion-Ville depuis le séisme. Le peuple de la capitale fracassée s'était rué sur la petite ville déjà encombrée. Tout se trouvait là à présent, hôtels, restaurants, bureaux, résidences, boîtes de nuit, marchés à même les trottoirs, quelques camps de déplacés, avec en périphérie des bidonvilles qui ceinturaient depuis quelques années l'ancien lieu de villégiature comme les rebords d'une coupe. Une étrange et imprévisible cohabitation qui créait un embouteillage monstre pendant le jour. La nuit, surtout en week-end, certaines artères étaient des ruches abritant voitures, néons fluorescents, bribes de musiques, fêtards, enfants des rues et putains.

Un groupe jouait du reggae au restaurant. Tatsumi attira les regards en entrant. Il n'y avait pas beaucoup d'Asiatiques dans la communauté étrangère du pays. L'ambiance était plutôt cool, le jardin éclairé avec des lanternes en fer sculpté de Noailles[1]. L'endroit était devenu en peu de temps l'un des points de chute favoris des fonctionnaires et militaires

1. Village au nord-est de la capitale, réputé pour la sculpture du fer.

internationaux, toutes missions confondues. Il y avait aussi quelques Haïtiens, classes moyennes et bourgeoises confondues, qui pouvaient se payer des drinks ou des repas en dollars verts ou au taux de change du jour, ce que certains journalistes occidentaux outragés trouvaient d'ailleurs indécent et *moralement répugnant*. Fito savait que des yeux le suivaient, que des questions se posaient. Ça faisait longtemps qu'il n'était pas sorti et il réapparaissait avec une Japonaise à son bras. Un petit événement en somme. Mais il s'en moquait, il se sentait bien dans sa peau et leur trouva une place retirée avec vue sur une moitié de l'estrade où jouaient les musiciens. Une bougie éclairait la petite table recouverte d'une nappe rouge. Il commanda du whisky pour lui, du vin pour Tatsumi et ils se perdirent un moment dans la contemplation du mouvement autour d'eux. Les serveurs se faufilaient entre les chaises, des femmes et des hommes bougeaient, pour se faire voir, pour aller aux toilettes, pour fouiller des yeux la pénombre de la tonnelle à la recherche de l'improbable bonheur d'une nuit. Des glaçons tintaient dans des verres d'oubli. Quelques personnes dansaient devant l'estrade, des femmes aux cheveux longs flottant sur leurs épaules, les bras levés au ciel, semblant étreindre une invisible douceur, et des hommes qui les frôlaient, les respiraient, les regardaient rire, anticipaient la fougue et les soupirs d'un lit. Qu'avaient tous ces gens à voir avec Canaan ? C'était leur jour pour oublier la misère humaine omniprésente, la violence en veilleuse, les lourdeurs de la bureaucratie internationale, les réunions bi- et multilatérales à n'en plus finir, la politique et les politiques haïtiens, les résultats jamais en adéquation avec les efforts fournis et les millions débloqués, les faux-semblants, l'épidémie de choléra qui tuait chaque jour des riverains du fleuve Artibonite et s'étendait rapidement aux autres départements du pays, la rumeur de plus en plus insistante affirmant que la maladie venait des excréments du contingent de casques bleus vivant au bord du fleuve et porteurs sains du bacille tueur. Mais en dépit de tous ces tracas, Haïti n'était finalement pas la pire des destinations pour travailler. Si le taux de désagréments liés à l'insécurité était quasi nul pour les étrangers et les fonctionnaires internationaux, les primes de risque restaient celles d'un pays miné par l'instabilité politique et les locaux étaient en général xénophiles et sympas. Et Canaan était loin de leur quotidien. Le serveur apporta la commande de boissons et des menus. Fito détourna son regard de la scène, soupira, leva son verre pour trinquer avec Tatsumi, et lui dit :

— Au succès de ton article… à l'amitié aussi…

— À l'amitié… et à ton prochain roman… lui répondit-elle sérieusement.

Fito tiqua mais décida d'accepter le souhait de Tatsumi avec bonne grâce. C'est l'autre, l'autre femme sous le corps d'enfant qui avait parlé. Il lui sourit.

— Parle-moi de toi, Tatsumi. Ai-je tort de croire que tu es une femme secrète ?

La question la surprit, elle ouvrit de grands yeux et rougit. Il vit enfin ses yeux. Deux billes noires luisantes et étonnées. Il remarqua qu'elle s'était maquillé discrètement les yeux, un trait noir et fin étirait davantage ses paupières vers le haut et approfondissait de mille ans la mémoire de son regard.

— Parler de moi ?

— Oui...

— Hmmm... mais on s'est tout dit...

— Ou presque...

— Bon... tu sais quasiment l'histoire de ma vie... mon enfance avec mes parents enseignants à l'étranger... mes voyages... mes études en langues et en lettres... ma thèse sur la littérature caribéenne d'expression française. Je suis une Japonaise atypique, en quelque sorte... j'ai passé le plus fort de ma vie hors de mon pays.

— Et encore ?

Il insistait.

— Et puis... je suis revenue chez moi il y a quelques années... voilà ! J'avais besoin de m'ancrer... pour un temps au moins. Mais je fais actuellement des démarches pour me trouver un poste d'enseignant à l'étranger. L'Afrique... le nord de l'Afrique me tente... Tunisie... Maroc. Mais tu sais tout ça.

Elle but de son vin rouge.

— C'est vrai... et je crois t'avoir dit que cet endroit du monde n'est pas de tout repos. Mais est-ce tout ?

— Oui... je crois...

— Quel âge as-tu, Tatsumi ?

Fito continuait son exploration avec la question que l'on ne pose jamais à une femme. Les Japonaises échappaient-elles à cette règle ? Il l'observa ensuite d'encore plus près. Elle rougit, sourit et lui répondit en lissant ses cheveux, un brin coquette :

— J'ai quarante-deux ans... je suis vieille.

— Mais non ! s'exclama Fito étonné. — Il lui en aurait

donné trente, au plus. — Tu fais bien plus jeune… mais vraiment. Tu devrais être fière de ton âge.

— Merci. Au Japon une femme dans la quarantaine, et qui n'est pas mariée de surcroît, est bonne à mettre chez l'antiquaire.

— Allons! Tu veux rire?

— J'exagère un peu… mais c'est aussi vrai, quelque part. Heureusement que les filles aujourd'hui pensent autrement. Même si elles caressent toutes le rêve de trouver le prince charmant, leur carrière professionnelle leur importe autant que de fonder une famille.

Ils se turent un instant, ils avaient besoin d'un temps de silence pour que leurs paroles se fraient un chemin l'une vers l'autre. Fito continua son exploration.

— Et l'amour, Tatsumi? Un homme, des enfants, les joies simples… toutes ces choses que les femmes attendent en général. En as-tu rêvé? Tu ne m'en parles jamais.

— L'amour… — Elle dit le mot en réfléchissant. — Je le cherche comme toutes les femmes, je crois. Mais je ne l'ai pas trouvé… pas encore. J'ai vécu avec un homme pendant deux ans, à Tokyo…

— Tu parles de lui au passé?

Fito s'étonna de cette confidence. Elle l'étonnait de plus en plus.

— Ça n'a pas marché… Je parlais souvent de voyage et lui n'envisageait pas la vie loin de ses pantoufles… il ne comprenait pas mon besoin de changer de cieux et à la fin il s'en irrita. Incompatibilité d'humeur, comme vous dites… — Elle sourit. — Et toi? Tu le cherches, l'amour?

— Tu as vu la vie ici, Tatsumi. La douleur de la vie ici.

L'amour est une chose, une marchandise, un moyen, rien qu'un moyen... Pour moi ce n'est pas un temps à aimer... Mais il y a encore une femme dans ma vie, et je ne sais plus pourquoi.

Il sourit mécaniquement. Et il ne savait pas non plus de quel nom appeler ce qu'il cherchait à Canaan. Il ne dit plus rien et se concentra sur le menu.

Elle avait été malade sur le trajet du retour. Quand la voiture descendit la pente du Canapé-Vert, elle chavira sous les spasmes de la nausée. Il dut s'arrêter deux fois pour la laisser vomir. Elle avait bu trop de vin au dîner et l'ivresse s'était emparée d'elle à son insu. Fito aurait pu l'héberger, il vivait seul. Mais il tenait farouchement à son espace vital. C'est pour cette raison qu'il lui avait réservé un studio dans une pension à Pacot. La perspective d'une étrangère dans sa demeure l'effrayait. Il ne pourrait pas tolérer la cohabitation avec une femme lorsqu'il aurait besoin de regarder Esther ou Rosemé derrière ses paupières insomniaques en écoutant la trompette de Miles.

Vides et sombres, les rues semblaient receler d'indicibles malheurs. L'obscurité pesante oppressa Fito. Il n'avait pas peur mais se sentait vulnérable dans la nuit. Les kidnappings recommençaient, les viols de domicile aussi. En période électorale les hydres commandées fauchaient les vies à l'aveuglette. Il n'avait pas d'arme. Au volant, il dut faire un gros effort de concentration pour garder la tête claire, mais il avait l'habitude. Il avait bu trois scotchs pendant la soirée au restaurant, sans oublier les deux verres bien tassés pris chez Franck. Tatsumi, toute petite sur le siège, gardait les yeux fermés, un vague sourire sur les lèvres.

Au portail de la pension, il perdit du temps à fouiller son sac à main pour trouver ses clés. Il palpait des petits morceaux d'elle, babioles imprécises, petits trucs qu'elle manipulait tous les jours, encore imprégnés de son parfum de pêche de Kenscoff. C'était un peu comme s'il l'avait touchée aussi. Il eut du mal à lui faire monter les escaliers, l'alcool lui avait ravi presque toutes ses forces.

Il lui mit la tête sous le robinet. La morsure de l'eau froide dissipa un instant la brume pesant sur son esprit. Il se releva, s'appuya contre un meuble, il était fatigué de l'avoir quasiment portée dans l'escalier. Penchée sur le lavabo, la tête en avant, cheveux collés à son visage et à son cou, elle courait après ses idées mais ne les rattrapait pas. Elle resta là, un moment, en équilibre précaire. Il la regardait, tout près d'elle, prêt à réagir. Elle se parlait à voix basse, un monologue chuchoté, saccadé, se terminant par des notes appuyées, presque des plaintes. Elle rouvrit les yeux, regarda autour d'elle, le vit, tenta de se redresser. Elle n'y parvint pas, vacilla et allait tomber quand il l'attrapa sous les aisselles. Contrairement à sa nature expansive, elle avait l'ivresse solitaire.

Après l'avoir rafraîchie, il décida de l'allonger sur le lit. La robe rouge mouillée collait à son corps. Il eut du mal à la déshabiller. Il frôla ses petits seins nus, sa main glissa sur ses hanches étroites. Le corps sans réaction de Tatsumi livrée à l'ivresse le troubla. Ce n'était pas une émotion physique, pas du désir, plutôt une réaction intellectuelle devant une situation qui le surprenait. Il se sentait comme un archéologue essayant de déchiffrer des inscriptions lointaines sur un vase antique. Cette femme était à mille lieues de lui alors qu'il sentait son souffle chaud sur sa peau, qu'il pouvait toucher son intimité recouverte seulement d'un microslip transparent. Quel était le lien les unissant, au-delà d'un possible accouplement, un moment volé à l'horloge indifférente du temps ? Pouvait-il exister de la confiance entre eux qui se connaissaient à peine ? Il aurait aimé croire à cette utopie que lui chuchotait sa solitude. Il ne se faisait lui-même plus confiance, alors comment lire en elle, déchiffrer ses codes ? Il était intrigué. Il la recouvrit des draps frais. Elle dormait déjà. Fito sentit la fatigue lui mordre les reins. Il rentra chez lui passé minuit.

Napoléon marchait devant, Esther et Rosemé le suivaient. Napoléon éclairait le sentier avec une petite lampe de poche en forme de porte-clés. Le sentier se refermait dans l'obscurité après leur passage. La nuit était tombée entièrement sur la savane et seul le chant des grillons éraillait le silence. Ils avaient laissé Canaan depuis environ une demi-heure. Une nouvelle vie s'ouvrait devant eux. Belle et effrayante. La vie de la rue. Les petites filles ne savaient pas d'où venait Napoléon. Napo qu'on l'appelait. Il était tombé depuis une semaine à Canaan comme une feuille portée par le vent, vivant de petits larcins, rendant de menus services, il avait souvent faim. Il avait treize ans, il était presque un homme. Il aimait Esther et Rosemé. Il avait toujours rêvé d'avoir des sœurs marasa[1]. Sa nouvelle mission dans la vie était de s'occuper d'elles. D'abord, elles devaient laisser Canaan. Napo sait tout faire, il a été restavèk[2], enfant des rues, portefaix, brière-

1. *Marasa* : jumelles.
2. *Restavèk* : enfant placé en domesticité dans une famille.

ment écolier. Il sait détourner la pluie quand il en a besoin. Pour leur évasion il a retenu la pluie à Cabaret. Ils pourront arriver à Delmas sans se mouiller, il le leur a promis. Esther croit tout ce qu'il dit. Rosemé a peur de lui, mais lui fait confiance. Napo s'est perdu deux fois mais a retrouvé son chemin. Il sent la route d'instinct. Il n'a rien dit aux filles.

Est-ce que tu crois qu'ils ont vu qu'on est parties ? Bien sûr que non, idiote. Il est à peine huit heures du soir. À cette heure-là les vieux s'occupent de leurs affaires. Mais, Esther devait aller sous… peut-être qu'ils la cherchent. Peut-être… Mais ils ne nous trouveront pas. Nous allons bientôt arriver sur la nationale. Si nous continuons de marcher vite, nous serons à Delmas vers dix heures du soir. Je suis fatiguée… j'ai mal aux pieds. Tu m'agaces, Rosemé ! Tu veux retourner à Canaan chez cette femme ? Pour qu'elle t'envoie sous la tente avec les vieux ? C'est ça que tu veux ? Non… Alors, arrête de te plaindre. C'est quoi, Delmas ? Pas vrai, tu ne connais pas Delmas, Esther ? Vous ne connaissez pas Delmas, les filles ? Non ! On n'y est jamais allées. Delmas c'est une rue qui sort de la grand-rue et va jusqu'à Pétion-Ville. Il y a plein de voitures et des tas de gens qui la traversent du matin jusqu'au soir. Tu peux marcher pendant des heures sur cette route. J'ai habité Delmas une fois, vers le bas. Je lavais des voitures. Et nous, qu'est-ce qu'on fera quand on sera à Delmas ? Oui ! Qu'allons-nous faire, Napo ? Hmmm… je dois d'abord trouver un endroit pour dormir ce soir. Il y a plein de maisons cassées et la nuit on peut y dormir. Il y a plein d'enfants des rues qui dorment dans ces maisons. Ils sont comment, les enfants

59

des rues? Ils sont comme nous, ils n'ont pas de maisons. Ils sont méchants? Hmmm... des fois. Mais ne t'en fais pas, je sais me battre, je me suis battu plusieurs fois déjà. Tiens, touche mon biceps! Et puis, dès demain matin nous allons nous planter quelque part pour demander la charité. Je vous montrerai comment faire. Certains jours, tu peux te faire beaucoup d'argent comme ça et t'acheter des trucs. Ensuite nous irons chercher de la nourriture dans un centre de distribution, chez les Blancs qui parlent espagnol. Je sais où ils se trouvent. J'ai même un ami qui est agent de sécurité dans un dépôt de nourriture. Demander la charité?... Tu veux dire allonger la main? Ne recommence pas, Rosemé! Esther, qu'est-ce qu'elle veut? Rosemé, qu'est-ce que tu veux? Retourner là-bas? Non... Alors arrête de te plaindre.

En ouvrant les yeux vers le milieu de la matinée, Fito eut conscience d'un léger mal de tête. Il aima l'heure imprécise, le ciel gris. Janvier traversé de soleils incertains seyait bien à son humeur floue et à ses articulations en coton. Il mit *Ascenseur pour l'échafaud* dans le lecteur de CD. Il se traîna jusqu'à la cuisine pour se faire un café, il n'avait pas faim. Les images de sa soirée avec Tatsumi lui revinrent à l'esprit. Cela lui faisait physiquement du bien d'y penser. Des sensations affluaient, anciennes et nouvelles à la fois, le parfum profond des feuillages, le pourpre secret des bougainvillées de Pétion-Ville, les bribes du reggae, l'aiguillon du froid des nuits de janvier, la douce ivresse. Le simple plaisir d'être en vie dans la nuit de sa ville qu'il oubliait trop souvent d'aimer. Il se sentait fatigué mais détendu comme il ne l'avait pas été depuis longtemps. Tatsumi était beaucoup plus sensible qu'elle ne paraissait, une abeille, qui butinait les mots, sous prétexte de les chercher. Coquette avec discrétion, son rire frais s'égrenait à l'improviste. Elle avait une façon de mettre sa main devant sa bouche quand elle riait aux éclats ou qu'elle avait la bouche pleine. Un atavisme de pudeur, comme pour préserver un dernier secret, une nudité. Elle posait aussi beaucoup de questions sur la politique, la violence, sur l'international, les dernières élections de novembre et le second tour en mars prochain, elle mettait des morceaux en place, prenait des notes dans un calepin. Elle devait écrire un article, dire une vérité dure, parler d'une nation qui attendait toujours de naître, embourbée dans sa propre histoire, mais trouver aussi des beautés insoupçonnées, où qu'elles se cachent. Avec ou sans Fito pour l'aider car son instinct lui disait qu'elle tombait mal dans sa vie.

Dimanche était le jour du déjeuner chez Gaëlle. Il redoutait ce déjeuner. C'était aussi un de ces matins où il ferait bon se saouler de mer, de soleil et de rhum punch avec des pailles, de brises salées sur la peau nue. Plus d'un an qu'il n'était pas allé à la plage. Depuis juste avant le séisme. Il avait passé le réveillon du jour de l'An précédent dans un club de plage avec Gaëlle. Il ne vivait plus, délaissant ses habitudes, revenant toujours à Canaan, à ces heures incandescentes cachées sous sa peau. Après onze appels sans réponse ce matin-là, Gaëlle n'appelait plus. Ils devaient se parler vraiment mais pas au téléphone. Ça ne servait plus à rien de retenir les mots qui les libéreraient, de prétendre et mentir. Il était sorti du monde où vivait Gaëlle, ils ne se touchaient plus. Comme d'habitude il prit une douche froide pour réveiller son corps.

Sur son balcon, Gaëlle soignait ses plantes en pot. Elle sourit en le voyant arriver, lui fit un signe de son sécateur et poursuivit son occupation. Fito remarqua, même de loin, que son sourire était contraint et que le couvert était déjà mis pour deux sur la table du salon. Des effluves appétissants montaient de l'office, son estomac gargouilla. Gaëlle l'attendait, elle était sûre qu'il ne dérogerait pas à leur rituel malgré son comportement bizarre des derniers jours. Peut-être l'attendait-elle pour lui dire une énième fois qu'elle le quittait ? Il s'installa dans son fauteuil, sa place habituelle, confortable, la musique et le bar à portée de sa main. Il se servit une Prestige bien froide et se rassit. L'alcool se répandit vite dans son sang car il avait l'estomac vide. Il pensa mettre de la musique mais se ravisa. Il préféra écouter les bruits ralentis du dimanche lui arrivant par bouffées, le ronflement des moteurs des voitures, les pétarades des motos, les klaxons, les voix s'échappant du camp de déplacés pas très loin, sur la petite place Saint-Pierre. Un voisin écoutait Andrea Bocelli chanter *Con te partirò*, l'ambiance faisait très classe moyenne aisée, après la messe dominicale de dix heures. Il observa Gaëlle à distance. Il la regarda se mouvoir, fraîche et plantureuse dans sa robe bigarrée. Elle allait bien avec le décor dont tous les éléments se fondaient en un ensemble harmonieux. Il était sûr que Gaëlle saurait prendre soin de lui, le loger, le nourrir et le blanchir avec amour. Elle lui bâtirait un cocon, irait au-devant de ses besoins. Elle le tuerait à petit feu… Ingrat, pensa-t-il. Trois fois ingrat. Il y a six ans il avait utilisé Gaëlle pour fuir son foyer. Il s'était servi d'elle pour divorcer, il le savait maintenant. Les contraintes conjugales lui pesaient. Il lui fallait toujours une prison d'où s'enfuir, une raison de chuter. L'euphorie de son premier roman les avait projetés dans le tourbillon d'une infatuation exacerbée qu'ils prirent pour de la passion. Il se voyait déjà installé dans une carrière d'écrivain à succès, elle anticipait un statut de femme de célébrité avec foyer, enfants, bonne et garçon de cour, et savourant la jalousie subliminale de ses amies. Mais voilà, il ne pouvait plus écrire, il était coincé dans sa tête. Aujourd'hui ils ressentaient de l'indifférence l'un pour l'autre, lui déçu et elle désenchantée, ne sachant que faire de leurs rêves éteints. Mais Gaëlle accepterait n'importe quel compromis pour un mariage. Il le savait aussi.

Elle le rejoignit sur la terrasse, le teint chauffé par le soleil de midi. Des gouttes de sueur perlaient à son front et sur sa lèvre supérieure. Elle portait un chignon sur le haut de la tête et des petites mèches de cheveux dorés par une teinture subtile caressaient sa nuque. Une femme propre, qui soignait son look. Elle enleva ses gants, elle avait de belles mains manucurées et des ongles orange fluo. Fito se leva et alla vers elle. Il pouvait sentir la tension dans le corps de Gaëlle. Il fit le geste de l'embrasser, elle détourna sa bouche. Il effleura sa joue de ses lèvres. Il resta debout et Gaëlle s'assit dans un fauteuil en face de lui.

— Je te sers quelque chose ? demanda Fito en l'observant, la tête penchée.

— Oui... un verre d'eau. Merci...

Fito alla au bar et servit un verre d'eau à Gaëlle. Il s'assit ensuite, les fesses sur le rebord du fauteuil, les jambes allongées devant lui, et le silence était lourd. Il avait prévu une conversation sérieuse après le déjeuner, quand le repas et le vin auraient détendu l'atmosphère. La faim lui donnait mal à la tête. Mais il décida subitement de parler le premier. Dire n'importe quoi mais parler. Pour lui cela devenait urgent. Une tension insidieuse raidissait sa nuque et ses épaules. Il s'en voulait d'être dans cette situation, de traîner Gaëlle comme un poids dans sa vie. Des poids, il en avait beaucoup trop. À Canaan, il pouvait les déposer un instant sur le sol en terre battue d'une tente en plastique bleue sous laquelle il étouffait, les déposer dans l'innocence mutilée d'une petite fille, même si les images qu'il en ramenait dévoraient tout son sommeil. Même s'il devait boire du whisky chaque soir pour anesthésier sa pensée.

— Gaëlle... j'ai bien vu tes derniers appels... chérie, j'ai eu une semaine dingue. Je suis talonné par des délais mais les incohérences du système foncier retardent toutes mes projections... les lois sont obsolètes... rien ne marche dans ce foutu pays... entre l'État qui ne peut pas livrer des titres de propriété aux futurs occupants des logements sociaux et les bailleurs de fonds qui exigent des garanties légales avant de continuer les décaissements… je suis pris entre deux feux et le projet prend du retard. C'est à moi de me démerder pour faire avancer les choses… Je dois m'occuper d'affaires n'ayant rien à voir avec les termes de référence de mon contrat d'ingénierie. Et sans Jacques pour m'épauler depuis un an… Mes deux stagiaires manquent d'expérience…

Gaëlle arrêta Fito en plein vol :

— Non… mais… tu te fous de ma gueule ?! Je t'ai appelé toute la semaine et tu ne pouvais pas m'expliquer, même au téléphone, ce qui vient de te prendre exactement dix secondes ? Tu voudrais aussi me faire croire que tu travailles vingt-quatre heures par jour ? Non… mais tu te fous de ma gueule, Fito Belmar !

Fito réalisa qu'il faisait mauvaise route. Ses excuses sonnaient faux, le rendaient ridicule et ne faisaient qu'augmenter la tension dans l'air.

— Pardonne-moi, tu as raison, Gaëlle. Je n'ai pas d'excuses. Je suis un goujat et je suis désolé de n'avoir pas répondu à tes appels. Je… je traverse un mauvais moment… j'ai besoin de réfléchir.

— Tiens ! Un mauvais moment ? — Un sourire ironique tirait les lèvres de Gaëlle mais son visage était de marbre. — T'afficher un samedi soir avec une Chinoise dans l'un des restaurants les plus fréquentés de Pétion-Ville, tu appelles ça traverser un mauvais moment ? Comment sont donc tes… bons moments, chéri ?

Fito crut ne pas avoir bien entendu la question. S'afficher avec une Chinoise ? Lui ? Mais, de qui parlait-elle ? Ah oui ! Bien sûr… Tatsumi ! Incroyable ! Il n'y pensait même pas. Gaëlle savait déjà ce qu'il avait fait la veille au soir, peut-être même que son indicateur, homme ou femme, l'en avait informée alors qu'il était encore avec Tatsumi au restaurant. Un appel sur portable, vite fait, impossible de résister à une telle tentation.

— Tu te trompes, elle n'est pas chinoise mais japonaise…

Fito essayait d'être léger.

Gaëlle explosa, une veine gonflait à son cou :

— Je me contrefiche qu'elle soit chinoise, coréenne ou japonaise ! Tu n'es qu'un sale égoïste ! Un… un salaud de play-boy défraîchi ! Tu te fous de moi, de ce que mes amis vont penser de moi. Je t'ai donné six ans de ma vie, mes meilleures années. J'ai compromis ma réputation pour toi. Je me suis confinée dans un rôle de maîtresse alors que j'aurais pu me faire épouser par un homme décent. Tout ça pour quoi ? Qu'est-ce qui me reste aujourd'hui ? Vas-tu me le dire ?

— Mais moi aussi je t'ai donné six années de ma vie, Gaëlle… et je ne t'ai jamais fait de promesses formelles… nous étions deux adultes libres dans une relation libre.

— Nous étions… tu dis ? Donc, pour toi, il n'y a plus rien entre nous à présent ? C'est ça que tu veux dire ?

— Hmmm… je ne le dirais pas exactement ainsi. Mais objectivement notre relation bat de l'aile depuis un bon moment. Tu en conviendras, n'est-ce pas, chérie ? Alors c'est à nous de savoir franchement si nous souhaitons continuer à entretenir des faux-semblants ou nous dire nos vérités…

— *Pa fout rele m cheri*[1] !

1. « Ne m'appelle foutre pas chérie ! »

La tension monta de plusieurs crans.

— Mais qu'est-ce qu'elle a de plus que moi ? hurla Gaëlle, ignorant les dernières paroles de Fito. C'est les cheveux jusqu'au cul ? C'est la peau blanche ou… ou les fesses plates ? Hein, c'est ça ? Maintenant tu deviens un étalon de l'international, comme ces messieurs qui ne fréquentent plus que des étrangères ? Ces femmes viennent se payer du bon temps ici pour des salaires faramineux et elles nous ravissent nos hommes en plus ! La belle affaire ! Et vous accourez au premier claquement de doigts ! Vous êtes tellement pitoyables, bande de… macaques complexés !

— Mais, Gaëlle, où est-ce que tu vas chercher tout ça ? Je ne connais cette femme que depuis hier… elle ne travaille pas en Haïti… et puis, tu peins une image absolument fausse de moi… j'aime… toutes les femmes… je n'ai pas de préférence de race ou d'autre chose. Tu me connais assez.

Fito était abasourdi par la violence que crachait Gaëlle et irrité de ce portrait qu'elle dressait de lui.

— Hmmm… Je vais te poser une question, Fito, et, si cela t'est encore possible, j'aimerais que tu me dises la vérité. As-tu jamais eu l'intention de m'épouser ?

Gaëlle avait retrouvé son calme aussi vite qu'elle l'avait perdu. Elle regardait Fito, attentive, lui donnant par sa question une dernière chance de se racheter. Elle espérait contre tout espoir entendre la réponse qui lui ferait tout oublier, effacer ses amertumes et retrouver le repos de ses nuits. Elle était prête à l'aimer encore, à lutter pour lui, pourvu qu'il lui donne ce qu'elle attendait depuis si longtemps, un nom, une légitimité. Fito était déconcerté par l'incohérence de Gaëlle. Elle n'avait pas fini de l'invectiver à propos de Tatsumi qu'elle revenait à la question de leur mariage. Il eut envie de céder, pour avoir la paix, même un moment. Gaëlle c'était du solide dans sa vie. Une autre promesse, un nouveau sursis. Ils s'assoiraient ensemble ensuite pour manger, la bonne bouffe et le vin lui relâcheraient les muscles. Il prétendrait ensuite une grosse fatigue pour éviter la chambre à coucher et la vie continuerait jusqu'à la prochaine altercation. Mais c'est un autre qui parla par sa bouche.

— Peut-être, Gaëlle, c'est une décision que j'ai souvent considérée depuis que nous sommes ensemble. Mais aujourd'hui je ne sais plus. J'ai peur de m'engager de façon définitive… je suis traumatisé… je te ferais du mal… je ne sais plus où j'en suis de ma vie…

— Alors fous le camp d'ici !… ne remets jamais plus les pieds chez moi… jamais, tu entends ? Fous le camp d'ici !

Fito restait assis, sa bouteille vide de bière entre les mains, comme hypnotisé par la colère de Gaëlle. Il attendait ce qui allait suivre. Elle avait encore des choses à lui dire et il voulait les entendre. Après il s'en irait pour ne plus revenir. Elle se mit debout, le regarda droit dans les yeux.

— Et dire que j'ai tout supporté… ta lente déchéance… tes larmoiements d'écrivain raté… ton impuissance… tu pues l'alcool tout le temps, Fito, ta bouche… ta sueur… tu le transpires par tous tes pores. Tu es minable. Parce que aujourd'hui tu as trouvé un juteux contrat grâce au tremblement de terre, que tu fais ton beurre sur le dos de tous ces pauvres gens qui ont tout perdu, tu te crois important au point de t'afficher en public avec une Japonaise, oubliant tout ce temps où j'ai été là pour toi, subissant tes inconstances, essayant de t'arracher à la dépression...

La voix de Gaëlle se cassa mais elle se retint de pleurer.

— Gaëlle... je veux rester ton ami. Je sais ce que je te dois. Nous avons beaucoup à nous dire... mais tu te trompes, je souffre aussi pour ces gens, leur situation me hante... si tu savais. Je voudrais voir la reconstruction du pays en...

— La reconstruction, mon cul! Je ne veux plus te parler. Je ne veux plus perdre mon temps avec toi... Tant pis pour le mariage, c'est sûr qu'avec toi ce serait un vrai gâchis... merci de me l'avoir rappelé. Tu te souviens que je t'ai dit qu'un homme me faisait une cour assidue? Il a vingt-huit ans, je vais me donner du bon temps avec lui. Il est tellement... fougueux, il me trouble, il est en train de me réveiller. Oui, ce soir il sera ici, dans le fauteuil où tu te trouves, nous écouterons de la musique ensemble, nous mangerons des petits-fours et boirons du rosé frais, nous ferons ensuite l'amour partout dans l'appartement. Je vais réapprendre à être heureuse dans les bras d'un homme. Alors fous le camp, Fito, ta place n'est plus ici! Dehors!

Franck lui servit un scotch et retourna à son ordinateur. Fito s'enfonça dans un des fauteuils de la terrasse, sous le couvert d'un grand ficus en pot. Il s'asseyait toujours à la même place chez son ami. C'était jeudi au crépuscule, il venait de mettre près de deux heures pour sortir de la plaine de Tabarre et arriver chez Franck, un trajet de vingt minutes en temps normal. L'attente dans le trafic sur la route de Frères l'avait épuisé. Depuis le début de la semaine, il travaillait douze heures par jour. Il exécutait des tâches, discutait avec ses contremaîtres, visitait les chantiers, soutenu par le café, le tabac et l'alcool. Depuis sa visite, dimanche, chez Gaëlle, il ruminait une bile angoissée. Elle lui manquait d'une certaine façon. Il aurait voulu qu'ils restent amis, elle avait été témoin d'un temps où il était vivant.

Mardi il avait téléphoné à Tatsumi pour l'inviter à dîner dans la soirée. Il s'irrita d'apprendre qu'elle passait la journée à Léogâne et irait ensuite à Jacmel pour deux jours. Il avait complètement oublié cette information. Elle ne reviendrait que vendredi matin. Il regretta de ne pas l'avoir

71

appelée dimanche ou lundi. Tatsumi avait tout planifié par téléphone et par Internet depuis Tokyo, ses visites de camps, ses déplacements, ses entretiens et sa logistique. Il ne lui servait à rien finalement, il aurait dû s'en réjouir mais n'y arrivait pas. Au fond, peut-être le considérait-elle simplement comme le bonus à son voyage d'aventures. Le repos de la guerrière. Pourtant elle n'avait rien fait pour indiquer qu'elle le convoitait. Pendant les quelques heures passées en sa compagnie, samedi, il avait senti sa disponibilité mais c'était tout. Elle lui avait dit sans mots que sa peau l'espérait. Mais s'il la voulait, il devrait la chercher et la trouver, faire son travail d'homme, et le temps pressait. Mais justement, il ne voulait rien, il ne pourrait répondre à cette attente. Et Canaan l'attendait demain vendredi. Un coup de fil le fouetterait, commanderait à ses sens exacerbés et douloureux, possédés d'une soif vorace. Un compte à rebours qui pulsait dans son sang, heureusement que l'alcool apaisait sa fièvre. Il s'endormit.

— Fito ! Fito ! réveille-toi, vieux. Je vais au lit.

— Hmmm… Quelle… quelle heure est-il ?

Fito ouvrit des yeux rougis et regarda autour de lui. Un filet de bave avait mouillé le devant de sa chemise. Il ne savait pas combien de temps il avait dormi mais il faisait nuit noire et un peu frisquet. Il frissonna pendant que ses avant-bras se couvraient de chair de poule sous la morsure de l'air vif. Un million d'étoiles scintillaient dans l'immensité du ciel de janvier et des grillons criaillaient dans les feuillages de Montagne-Noire. Franck regarda sa montre.

— Onze heures trente… si tu veux rester, la chambre d'amis est à la même place. Sinon, tu devrais rentrer chez toi… il est un peu tard pour être seul dans la rue. Tu as faim ? Un sandwich ? J'ai acheté du jambon de dinde cet après-midi.

— Non… merci. Un café, peut-être, avant que je rentre.

— O.K., donne-moi cinq minutes.

— Fais-le bien serré.

— *Of course*…

Fito resta assis, n'arrivant pas à rassembler ses idées. Il

alluma une cigarette. Il était venu parler à Franck, mais le sommeil avait eu raison de lui. Ou bien il avait fui dans le sommeil. Il s'était réveillé avec la même confusion collée à sa peau, avec le sentiment de quelque chose à faire qui lui échappait. Il avait besoin de repos, d'air frais et pur. Son cœur finirait par péter s'il continuait de vivre à ce rythme-là et à boire autant de scotch. Il se trouvait dans la tranche d'âge favorite des crises cardiaques. Mais une sorte de léthargie masochiste l'amenait à envisager cette éventualité avec une résignation perverse. Peut-être que cela lui arriverait à Canaan, qu'il mourrait sous une tente, en épectase, foudroyé dans les bras d'une autre Mirline et qu'on basculerait son corps dans un trou vite creusé.

— Tiens, voilà.

Franck lui tendit une tasse fumante et s'assit en face de lui. Fito huma le café et sa poitrine se gonfla.

— Ça va, vieux? Tu n'as pas meilleure mine, malgré ton somme. Tatsumi est repartie?

— Non, pas encore.

— Quand part-elle?

— Mercredi prochain. Pourquoi?

— Rien… je suis curieux, c'est tout. Pourquoi tu n'es pas avec elle? Tu ne l'as vue qu'une fois depuis son arrivée, il me semble?

— Heu… oui… Elle est à Jacmel jusqu'à vendredi.

— Hmmm… Tu la vois à son retour?

— Heu… je crois… enfin, oui.

Franck changea de position et regarda Fito l'air perplexe.

— Tu sais Fito que j'ai le droit de te parler, tu es mon frère, comme Marc est mon frère, même si on ne se voit

plus souvent. Tu sais aussi que tu peux me faire confiance…
Je voulais te causer seul à seul, entre frères, parce que depuis
quelque temps tu me parais bizarre. Avec une fille comme
Tatsumi je me sentirais heureux et puissant comme un
dieu. Toi tu fais en permanence une tête de déterré. Tu bois
trop. Moi Franck Duvernal, bwesonyè[1] devant l'Éternel, je
te le dis. Tu dois mettre les freins, c'est le moment, tu es sur
une pente glissante… Tu dépenses trop d'énergie à fonc-
tionner en essayant de contrôler l'alcool dans tes veines
vingt-quatre heures par jour.

— Merci de te faire du souci… mais qu'est-ce que tu vas
chercher, mon vieux ? Je bois un petit plus que d'habitude,
c'est vrai, mais je suis dans une limite encore… raisonnable.
Je vais bien, fatigué sûrement. Tatsumi et moi sommes des
amis, Franck, est-ce qu'il n'est pas possible qu'une femme
et un homme se connaissent sans finir au lit ?

Franck sourit de son petit sourire canaille et malicieux.

— C'est une question de principe… il y a des cadeaux
que fait le hasard qui sont trop précieux pour être négligés.
Un gentleman remplit ses devoirs jusqu'au bout. En
d'autres termes, ma réponse à ta question est non, ce n'est
pas possible que tu laisses repartir Tatsumi sans l'aimer,
sans apaiser son corps qui t'attend. Moi j'ai senti son
attente, pas toi ? Cette attente de l'homme rend les femmes
plus belles, elles en vibrent. Mais plus sérieusement, Fito,
cela veut dire pour moi que quelque chose ne va pas. Tu
es cassé. Comme si tu épuisais tes réserves d'énergie même
sans bouger.

---

1. *Bwesonyè* : grand amateur d'alcool.

— Bon... c'est Franck l'ésotérique qui parle maintenant.

— Peut-être... tu connais mon petit côté gourou. Mais tu ne vas pas me faire croire que tout va bien. Je te connais assez. Tu es mal dans ta peau. C'est le travail? Tu savais à quoi t'attendre en prenant ce contrat. Tu ne vas pas laisser le stress te bouffer les cellules parce que les choses marchent mal ici. Ce n'est pas toi qui vas changer la République, mon frère. Cette prétention te coûterait ta raison.

— Ouais... c'est vrai que j'ai l'impression d'essayer de soulever une montagne des fois... On me demande mes opinions à droite à gauche, dans des réunions multilatérales, des ateliers, des conférences, j'ai contribué à je ne sais plus combien d'études, mais je me demande ce qu'on fait de toutes ces opinions de gens du terrain, où vont mourir toutes ces études?

— Le système est tellement lourd qu'il ne peut plus bouger. Et on le gave pour qu'il reste lourd, Fito. En latin ça s'appelle le statu quo. Il faut toujours se demander à qui profite le crime. Toi, ton petit contrat pour construire quelques centaines de logements n'est que pitance par rapport à la masse d'argent brassée et tu te fends en quatre pour le respecter. Tu fais ce que tu peux avec les moyens du bord, pas la peine d'avoir des états d'âme en plus. Mais revenons à ta vie privée, si tu veux bien. Est-ce que tu sais que Gaëlle sort avec un mec plus jeune qu'elle, je veux dire beaucoup plus jeune? Un costaud, semble-t-il. Maxime les a vus hier à Eden Pizza. Il paraît qu'il dirige une succursale d'Econobank. Désolé d'être aussi direct mais tu sais que j'ai toujours eu des réserves sur Gaëlle et toi. Elle t'étouffe, point barre. Et quand elle n'arrive plus à te contrôler, elle te fout des cornes. Ce n'est pas un hasard si tu n'as rien écrit depuis qu'elle a mis le grappin sur toi. Que s'est-il passé ? Elle t'a encore mis en demeure de l'épouser ? Elle essaie de te donner une leçon ?

— Pas exactement… je crois que, cette fois, c'est vraiment fini. C'est beaucoup mieux ainsi, pour elle et pour moi.

— Encore une fois, je ne t'en vois pas plus heureux… Gaëlle a donc rejoint le club des couguars[1] ? Eh bien, dis donc…

Fito passa une main dans ses cheveux et rit doucement. Peu lui importait que Gaëlle se fasse sauter par un homme jeune et costaud. Il regarda ensuite Franck, l'air sérieux, et lui demanda :

— Et le choléra ?

— Le choléra ? Quoi, le choléra ? Nous parlions de Gaëlle, il me semble. Ça va, vieux ?

— Tu trouves normal que cette épidémie vienne miner une population déjà fragilisée et que le gouvernement ne fasse rien pour déterminer les responsabilités, ne demande pas réparation, ne crie pas au scandale pour ces centaines de victimes déjà…

— Allons, allons, Fito… toi et tes états d'âme, toi et tes tortures intimes, tu ne changeras donc jamais, mon ami ? Nous savons tous l'origine de l'épidémie. Mais aucune responsabilité ne sera ni assumée par les vrais responsables, ni dénoncée officiellement par le gouvernement.

---

1. Femmes d'âge mûr sortant avec des hommes plus jeunes.

Politiquement incorrect. Je peux te parier cette maison que j'habite contre une bouteille de scotch…

Franck étouffa un bâillement.

— Bon… tu dois rentrer, vieux. En tout cas, prends soin de toi, mon frère.

Fito était debout et se dirigeait vers l'escalier quand Franck l'arrêta avec l'air de chercher ses mots.

— Fito… qu'est-ce que tu vas foutre à Canaan ?

Fito reçut la question comme un poing dans sa poitrine. Par réflexe il posa une main sur son plexus. Il ressentit pour la première fois depuis qu'il allait à Canaan un sentiment qu'il identifia clairement, qu'il fuyait mais qui le cerna et le brûla, la honte. Tout ce temps qu'ils se parlaient, Franck était au courant. Comment savait-il ? Depuis combien de temps savait-il ? Pourquoi lui en parlait-il maintenant ? Il se rendit compte qu'il avait été bien naïf de croire que personne ne saurait, hormis l'oncle et ses complices. Tout finissait par se savoir ici. Et la garçonnière de Franck était une antenne qui portait loin. Il n'était certainement pas le seul de sa classe sociale à fréquenter Canaan *by night*. Franck attendait une réponse mais Fito n'en trouva pas. Par où commencer ? L'oncle et sa dent en or ? Ketia, la première des fillettes, celle par qui la folie arriva ? Ou le plafond de sa chambre et le tracé des craquelures que le séisme avait laissées dans son revêtement de ciment et qu'il connaissait par cœur ? Le plafond de sa chambre qui avait résisté quand celui de Jacques l'avait enseveli avec les siens. Il se demanda pourquoi il n'avait toujours pas fait réparer les fêlures de sa maison un an après. Il se faisait pitié et sentait ses résistances lâcher. Il n'allait tout de même pas se mettre à chialer devant Franck. Sa vie privée ne concernait que lui. Finalement il détestait la façon qu'avait son ami d'envahir ses retranchements et il devrait bien se résoudre à le lui dire un jour. Il ferma les yeux une seconde et respira à fond. Sa voix était ferme quand il dit :

— Nous en parlerons une autre fois, Franck… Je suis crevé.

Patron, m jwenn yon bon ti bagay pou wou wi… bon zenzenn… li tifi wi!… Li rele Louloune[1]. Les paroles douces de l'oncle palpitaient dans sa tête, au creux de ses mains, réchauffaient son bas-ventre et le ressuscitaient. Il sentit à ses narines l'odeur de sueur et de poussière qu'elles avaient toutes, et de basilic parfois. Mais celle-là aurait en plus le parfum de la pureté, celle qui le sauverait de toute la crasse de tous les Canaan réels ou virtuels dans lesquels il évoluait. Il prit la flasque sur le siège à côté de lui. Black Label. Il dévissa le bouchon et s'envoya une forte gorgée. Il venait de passer Damien. Le trafic était lourd mais il serait à l'heure. *Men se yon lòt kondisyon wi, patron*[2]… Une autre condition, elle coûtait plus cher, naturellement, son vice lui coûterait de plus en plus cher. Le sang martela les tempes de Fito. Il se regarda dans le rétroviseur. À part ses yeux rougis, il paraissait normal, l'obscurité de la cabine

1. « Patron, je t'ai trouvé une bonne affaire… de la bonne marchandise… elle est vierge !… Son nom est Louloune. »
2. « Mais les conditions ne sont pas les mêmes, patron… »

atténuait la profondeur des rides de part et d'autre de son nez et camouflait ses cheveux gris. Comment pouvait-il avoir une tête normale alors qu'il se rendait pour la septième fois à Canaan? Quel palmarès! Sept petites filles, sept extases, sept morts et sept naissances, sept chutes et sept reniements de lui-même. *Li tifi wi*[1]*!* Les mots ne quittaient pas sa tête. Ces mots anticipaient une seconde d'oubli, cette seule seconde de folie à Canaan qu'il appelait de tous ses vœux, pour laquelle il se dirigeait de nuit et seul vers une zone à haut risque. Il pensa à Ti-Tanyen, à juste dix minutes de Canaan, vers la mer bleue de la côte des Arcadins, immense charnier de toutes les catastrophes politiques et naturelles de la région métropolitaine depuis des lustres. Il éteignit la radio, le bruit lui devenait insupportable. Il avait besoin d'air, sa peau était moite. Pourtant il faisait froid dans la voiture. La septième fois, la dernière. Une promesse qu'il s'était déjà faite six fois. Franck connaissait un tas de théories mystiques sur le chiffre sept. Mais Franck n'était pas là ce soir, Fito était seul sur la route d'un destin bien réel, incroyablement réel.

Tatsumi était rentrée de Jacmel dans la matinée. Son voyage touchait à sa fin, plus que quatre jours avant son départ. Il lui avait proposé de dîner le lendemain samedi, sa réponse avait été plutôt tiède. Elle était fatiguée, disait-elle. Ses visites à Léogâne et Jacmel avaient été difficiles. Si elle allait mieux le lendemain, elle lui téléphonerait. Une fin de non-recevoir? Peut-être avait-elle compris que rien ne se passerait entre eux. Peut-être qu'il l'ennuyait, qu'elle avait

1. « Elle est vierge! »

rencontré des gens enthousiastes et sympathiques. Tant mieux pour elle, alors. Il aurait pu, il aurait dû s'occuper d'elle, s'intéresser à son travail, partager ses découvertes, éclairer ses questionnements. Mais elle tombait mal, il ne savait plus être attentif même à l'amitié. Quelque chose de dur avait poussé en lui dont les racines siphonnaient ses bons sentiments. Il se concentra sur la route.

Il traversait le pont de la Croix-des-Missions. *Qu'est-ce que tu vas foutre à Canaan ?* La question surgit de nulle part, vicieuse et irritante. Franck lui avait parlé comme un père morigène un enfant stupide. Mais de quoi se mêlait-il, Franck ? Sous prétexte de quelle prétendue fraternité s'arrogeait-il le droit de lui faire la leçon ? Qui lui demandait des comptes, à lui, de ses partouzes, de sa débauche ? À chacun ses plaisirs et ses déchirements. Mais qu'il ne vienne pas prendre son ton de grand frère et demander des explications sur quelque chose qu'il ne pouvait pas comprendre. Comment lui dire une maladie de l'âme qui pouvait guérir le temps d'un rêve à Canaan ?

Carrefour Shada. La circulation était toujours lente mais bientôt il sortirait de la zone dense. Les véhicules et les piétons se feraient plus rares. Il allait entrer dans la nuit nue et le silence fauve. *Bon zenzenn…* l'oncle avait dit. De la bonne marchandise. Il allait être heureux. *Bon zenzenn…* Voilà qu'il parlait le langage de la rue, du peuple, des ghettos, le langage de l'oncle qui scellait leur lourde complicité. Un monde aux codes différents du sien qui l'agressait et le fascinait, le confondait d'humilité. Il mettait bas les masques, il était comme eux, il était eux, sans protocole ni faux-semblants. Ils pouvaient le punir ou faire de lui un roi. Il baignait dans tous ces mots nouveaux, néologismes d'une vie dont il n'avait pas soupçonné les ramifications dans sa propre vie jusqu'à ce qu'il plonge dans les souterrains de Canaan. Des mots que dans son milieu on trouvait irrespectueux voire injurieux. *Patnè... Papy... Pa m... Blòd...* L'oncle l'avait appelé une fois Papy car, à ses yeux, il était déjà un vieux, un homme à la lisière des illusions. Un homme qui fuyait des spectres échappés de son impuissance et sa peur de vieillir, et cherchait refuge dans l'innocence, même s'il devait pour cela la profaner. *Qu'est-ce que tu vas foutre à Canaan?* Je ne sais pas Franck et j'en meurs. Encore quelques minutes et il arriverait au point de rendez-vous. Fito manquait d'air mais il ne baissa pas la vitre à côté de lui. L'alcool remonté brûlait son œsophage, il n'avait pas déjeuné, se contentant tout l'après-midi d'un paquet de biscuits salés. Sa bouche devait puer, Gaëlle le lui avait dit sans ménagement. Comme il devait leur répugner à ces petites filles. La route n'avait jamais été aussi longue.

Qu'est-ce que tu vas foutre à Canaan? Donne-moi la clé du chiffre sept, Franck. Dis-moi un mot, fais-moi un signe. Je suis dans le compte à rebours du septième soleil noir et je vais me désintégrer. Un îlot de lumière surgit dans l'obscurité alentour. La station de gazoline et le dépanneur Aigle du Nord brillaient comme une gemme dans la campagne sombre. C'était comme si Fito les voyait pour la première fois de sa vie. Il y engouffra son tout-terrain. Des pompistes vendaient de l'essence, on achetait de l'eau et des sacs de glaçons dans le comptoir de traitement d'eau, de la musique sortait du snack-bar. Il y avait de la lumière et de la vie à la station Aigle du Nord. Fito s'en émerveilla. Il fit le tour de l'espace et gara sa voiture à la sortie, dans la direction de Port-au-Prince. Il baissa les deux fenêtres à l'avant et éteignit le moteur. Il respira à grandes goulées, comme émergeant d'une longue apnée. Il savait qu'il venait de passer à deux doigts de la mort, ou d'une certaine mort. Il resta cinq minutes hébété, sans bouger. Il sortit brusquement son portable de l'étui fixé à sa ceinture, talonné par une soudaine urgence. Le téléphone marquait sept heures quatorze et lui signalait deux appels en absence, il ne s'en était pas aperçu, l'appareil était en mode vibration. Canaan s'impatientait. Il composa un numéro. *Jean-Claude? Fito... Fito Belmar... oui, c'est vrai... ça fait longtemps... Écoute, Jean-Claude, c'est urgent, je ne t'en dirai pas plus... la maison sur la plage... ton invitation, elle tient toujours? Oui... je sais qu'elle date d'un siècle ton invitation... C'est O.K. alors? Merci... J'arrive demain.*

Fito resta deux minutes immobile, le regard fixé sur la route devant lui. Il composa ensuite un autre numéro. *Allô, Tatsumi? Ici Fito... Oui, je vais bien, pourquoi? Ma voix? Ha!... La fatigue sûrement. La journée a été longue... En fait, je t'appelais pour te proposer un petit séjour au bord de la mer. Départ demain, au lever du jour. Je connais un endroit où il fait beau. Quoi, comment? Oui, j'ai changé d'idée... je décroche de tout, boulot, rendez-vous, copains. Comment? Tu as encore une interview demain après-midi? Avec un journaliste? Je vois... bon... mais je voudrais tellement t'emmener là-bas. Nous pourrions oublier Port-au-Prince et tout le reste. Un long week-end bleu... je suis sûr que ça te plairait, pour terminer ton séjour. Dis oui, s'il te plaît... Comment? Tu*

84

pourrais faire l'interview par téléphone? Super, alors! Je…
j'apprécie beaucoup, Tatsumi. Je serai là dès six heures du
matin, la route est longue. Je… je m'occupe de tout. À demain!
Fito coupa la communication et regarda autour de lui. Il fit
marche arrière et se gara devant le snack-bar. Il avait faim et
soif. Ensuite il rentrerait sur Port-au-Prince, il devait faire
des courses pour partir demain.

Ce soir ils vont m'envoyer sous la tente, je le sais, je le sens. Ma tante ne m'a rien dit mais je l'ai vue parler au monsieur qu'on appelle Golème. Ils chuchotaient, ils ne pensaient pas à moi mais j'ai compris. Yasmine, qui habite de l'autre côté du camp, vers la boutique de monsieur Wesner, elle est allée sous la tente l'autre soir, pour la première fois. Elle ne veut pas m'en parler, elle pleurait en cachette près des latrines. Je sais qu'elle avait mal. Nous les filles, on a toutes peur d'aller sous la tente. Golème m'a regardée une fois et il m'a fait peur avec ses yeux rouges et sa dent en or. Je vais me sauver, je vais partir, je vais descendre sur la grand-route, et puis je ne sais pas. Peut-être qu'un chauffeur voudra bien me prendre à son bord, ou bien peut-être qu'une grande personne me conduira dans un orphelinat pour vivre avec des enfants comme moi. Je dirai que je me suis perdue, que je ne connais pas le nom de l'endroit où j'habitais. Je ne parlerai pas de Canaan. Je hais Canaan. Il y a des enfants qui se sont enfuis du camp, ça fait des jours qu'ils sont partis et on ne les a pas retrouvés. J'y arriverai, moi aussi. Je ne connais pas ces gens, je ne connais pas cette femme que j'appelle ma tante. Ils m'ont prise avec eux alors que je me trouvais dans la rue, le jour du goudougoudou[1]. Ils m'ont amenée à l'hôpital et donné à manger. Ils habitaient dans mon quartier, à Cité-de-Dieu. Maman est restée là-bas, sous les décombres, avec les autres. Je ne veux pas aller sous la tente. Je n'irai pas sous la tente. Je vais me sauver, je vais partir, je vais descendre sur la grand-route, et puis je ne sais pas…

1. Nom populaire donné au séisme.

L'oncle s'appelait de son vrai nom Golème Gédéon. Il avait trente-sept ans. Il attendait Fito au même endroit, sous un bouquet de lauriers-roses. Son secrétaire, Ti Wil, le jeune avec les dreadlocks, était là aussi, il tirait sur un joint enroulé avec du papier d'emballage jaune. Golème ne touchait pas à la drogue ni n'en vendait. Il avait vu trop de sang couler à Ti-Bwa à cause de cette saloperie. Une guerre en veilleuse maintenait la tension avec les gangs de Gran-Ravin. Lui, il faisait dans toutes sortes de débrouilles mais sa spécialité restait les mœurs. Ça rapportait moins gros que la came, mais c'était plus sûr et plus stable et la matière première abondait. En cherchant là où il fallait, il trouvait toujours un père ou une mère aux abois et prêts à sacrifier un enfant ou deux pour nourrir le reste d'une longue famille. C'était du business pur et simple. Golème et Ti Wil parlaient de tout et de rien, de leur projet d'ouvrir une petite quincaillerie à Canaan car la tendance était à la construction en dur. Les maisons en blocs de ciment sortaient de terre, chaque jour de plus en plus nombreuses. Ils allaient aussi acheter quatre batteries et un panneau solaire pour la recharge payante des téléphones portables, un besoin vital pour les Cananéens, presque autant que l'eau. Mais de temps à autre l'oncle jetait un coup d'œil à son portable pour vérifier l'heure. Six heures quarante-cinq, la nuit précoce de l'hivernage couvrait la plaine. Il était toujours à l'heure le papy du vendredi, ponctuel et bon payeur. Il allait venir. *Poze w, Golème*[1], se répétait-il.

Golème était d'une nature anxieuse et méthodique. Il menait ses affaires avec rigueur et efficacité. Il était ponctuel, une qualité inconnue de la majorité des Haïtiens. Voilà pourquoi il aimait faire affaire avec Fito, un papy toujours à l'heure. Et bon payeur. Golème avait deux concubines à sa charge mais il vivait seul dans une maison-bâche, ce qui représentait un certain luxe au sein d'un camp de déplacés et révélait la relative aisance de l'occupant. Quand l'État haïtien décida de déclarer Canaan d'utilité publique, il acheta l'emplacement où se trouvait sa tente à un pseudo-responsable mandaté par les autorités pour la rondelette somme de dix mille gourdes. Ses activités y trouvaient une base solide et lui-même jouissait d'une liberté de déplacement qui leur était bénéfique. Il contrôlait ses maîtresses et ses cinq enfants à distance et gérait ses affaires depuis sa chambre. Il lui arrivait parfois d'être très violent, mais c'était toujours une fureur froide et calculée, pour arriver à une fin précise. Son arme favorite était le couteau avec lame à ressort qui surgissait à la vitesse de l'éclair dans sa main et frappait comme le dard d'un serpent. Sans

---

1. « Calme-toi, Golème. »

imposer le respect et sans un sens inné de la méfiance, on ne tenait pas longtemps dans ce business. Il avait la tête de l'emploi, pas trop voyant dans le genre jeans au ras des fesses, mais fringué de qualité, polo-shirt Ralph Lauren et jeans Guess qu'il triait soigneusement dans les lots des marchandes de pèpè[1] du bord de mer, ou de ce qu'il en restait. Ses tennis Nike étaient toujours blanches comme de la noix de coco. Il aimait porter un képi en cuir marron qui était l'élément favori de sa tenue. La dent en or était venue plus tard parfaire le personnage. Il était un homme d'affaires, il devait inspirer confiance.

Six heures cinquante. Il ne doit pas être bien loin. Golème allait carrément tripler le tarif, la marchandise aujourd'hui était du haut de gamme, les petites vierges se trouvaient de plus en plus difficilement, et le portefeuille du papy semblait avoir du répondant. Deux semaines qu'il cherchait cet oiseau rare. Il allait aussi proposer à Fito de lui amener ses petites amies chez lui, s'il le voulait. C'était une proposition qu'il faisait seulement quand une certaine confiance s'était installée entre lui et ses clients. Ils étaient méfiants, les bourgeois, et n'aimaient pas que le peuple déborde de ses quartiers. Au lendemain du séisme, quelques milliers de sinistrés s'étaient abattus comme une nuée de sauterelles sur le gazon tendre et vert du golf de neuf trous du Club de Pétion-Ville, alias Club américain. Ce golf donnait, à l'arrière du club, sur un quartier populeux, alors que l'accès au lieu se faisait par l'avenue Panaméricaine, de son petit nom Bourdon, dans le voisinage des résidences diplo-

1. Vêtements d'occasion arrivant par conteneurs d'Amérique du Nord.

matiques et internationales. Ils venaient d'un peu partout, certains comme Golème de Ti-Bwa, sur les hauteurs de Martissant, d'autres de Gran-Ravin du même lieu, de Carrefour-Feuilles, de Bas-Peu-de-Choses ou, plus près, du morne Garnier à Bourdon ou de Bwa-Jalouzi, le mégabidonville couvrant la paroi sud de Pétion-Ville. En quelques heures des milliers d'hommes, de femmes et d'enfants commençaient une nouvelle et étrange vie dans un environnement ressemblant à un paradis. Mais bien vite se posèrent des problèmes aigus et urgents de nourriture, de soins de santé, de médicaments, d'eau et d'hygiène. Les femmes enceintes devaient accoucher, les blessés devaient être pansés, plâtrés ou amputés, et les bouches fendues devaient goûter chaque jour le sel de Dieu. Les morts jonchaient encore les rues à travers Port-au-Prince et la tragédie s'amplifiait de jour en jour. Ce camp gagna la vedette dans la presse locale et étrangère à cause du lieu qu'il occupait et grâce à l'aura d'une star de Hollywood qui en fit sa cause très médiatisée. Ce dernier dépensa un monde d'énergie pour sensibiliser l'opinion internationale et les bonnes volontés de tous horizons, collecter des rations de nourriture et d'eau, des vêtements, des médicaments pour ses sinistrés adoptifs que le hasard ou l'instinct de survie avaient fait tomber dans le fief des Américains. Facétie du destin, un groupe important du camp accepta au bout de quelques semaines d'être relocalisé à Corail, à la sortie nord de la capitale, car il se trouvait installé, ô déveine, au bas du golf, sur la route des grandes pluies et des glissements de terrain. La persuasion des responsables militaires étrangers, des responsables du gouvernement local et de la star hollywoodienne victime de sa bonne foi, ainsi que quelques coulées de boue, les convainquirent de partir. On leur promit, sinon le paradis, du moins un endroit décent où leurs besoins de base seraient satisfaits, comme l'accès à l'eau potable, les soins de santé et une école pour leurs enfants. Il y aurait même du travail dans une nouvelle usine qui allait être installée dans la zone par des investisseurs asiatiques. Que demander de plus ?

Six heures cinquante-trois. Ti Wil portait des jeans tombant en dessous de ses fesses et un caleçon en coton écossais délavé, un tee-shirt trop petit lui faisait la poitrine plus étroite. Golème plissait les yeux dès que s'élevaient sur la route les phares d'un véhicule. Le papy allait arriver, il l'avait bien baratiné au téléphone ce matin, il l'avait entendu déglutir sans arrêt, il avait sans doute eu une érection par anticipation. *Tout bagay poze*[1]. Golème Gédéon faisait partie de la première vague de déplacés du Club américain qui avaient accepté d'être conduits au camp Corail dans les grands bus de la mission des Nations unies pour la stabilisation d'Haïti, munis d'un viatique de cinquante dollars américains et d'un kit de toilette. Le gouvernement avait identifié l'emplacement, on réglerait les éventuels problèmes fonciers après. Toutes les autorités locales et internationales concernées furent d'accord pour le transfert, même celles qui n'avaient jamais mis les pieds là-bas. Il fallait agir dans l'urgence, répondre au problème qui devenait politiquement embarrassant. Finalement ce groupe particulier de déplacés n'avait pas été chanceux d'être tombé dans le fief

1. « Tout va bien. »

des Américains. Le choc de la chute sur le gravier de Corail fut aussi grand que celui du tremblement de terre du 12 janvier. Du golf américain à Corail, on passait sans aucune transition du paradis à l'enfer. Le cœur lourd, ils s'installèrent dans des rangées rectilignes de tentes montées à même un vaste terrain désertique, sur le passage, ô ironie, des inondations provenant des mornes chauves qui les dominaient. L'eau potable, les écoles, le dispensaire et l'usine étaient des mirages qu'ils verraient peut-être surgir de la poussière et du soleil.

Sept heures moins une. Il sera là d'une seconde à l'autre. *Poze w, Golème.* Corail se peuplait chaque jour sous l'œil des soldats étrangers. L'oncle n'aima pas le caractère expérimental du camp, les caméras des journalistes pour le showbiz, ni la proximité avec Babylone[1] et ses soldats en treillis qui surveillaient nuit et jour les allées et venues du peuple, juchés sur leurs Jeep UN, fusils-mitrailleurs en position de tir. Il décida de déménager à Canaan qui vivait deux cents mètres plus haut sur le flanc des mornes, autonome et anarchique. Ce lieu-dit datait aussi du lendemain du tremblement de terre et avait subi l'invasion spontanée de sinistrés et autres opportunistes habitant la zone. Eux dépendaient pour beaucoup de leurs propres moyens, n'ayant pas le parrainage de Corail. Toutefois, Corail et Canaan connurent un exode massif et journalier, les promesses faites aux premiers déplacés de Corail avaient la vie dure et continuaient de se répandre comme une légende dans la population aux abois. Jusqu'à mille nouveaux arrivants par jour, sinistrés

---

1. *Babylone* : nom donné par la population aux forces de l'ordre.

du séisme ou miséreux qui ne pouvaient plus payer un loyer ou fuyaient la dureté des quartiers populaires ou des bidonvilles, venaient chercher le lait et le miel de la terre promise, même s'ils ne les voyaient pas encore couler, et s'installaient avec quatre piquets en bois et quelques bâches bleues. La vie s'organisait, des petits commerces de produits de première nécessité sortirent de la poussière, des commerces plus sophistiqués suivirent, on offrait des services à ceux qui pouvaient les payer. Golème vivait d'un réseau souterrain qui avait ses ramifications dans les ONG, les grosses boîtes internationales, la mission onusienne de maintien de la paix, les ministères et les bureaux du gouvernement. Un patient travail de maillage qui s'étendait sous l'effet de la demande. Il vendait des services, repérait des clients, faisait son marketing, gardait à jour son carnet d'adresses et de rendez-vous, était persuasif et discret. Il avait même des clients qui venaient de l'étranger. Il se méfiait aussi et avait le nez pour voir venir les emmerdes policières. Il vendait des plaisirs spécifiques à des gens particuliers. Un réseau de la déviance au cœur de la cité. À Canaan la chair tendre se vendait au prix de la faim et de la soif.

Sept heures cinq. Golème composa le numéro de Fito. *Votre correspondant n'est pas disponible... nou regrèt, moun wap rele a pa disponib.* Le trafic sûrement. Avec tous les accidents qu'il y a de nos jours. L'oncle venait du plateau central, de la verte région de Sully, pas loin de Hinche. Il avait connu une enfance de fils de paysan pauvre mais qu'on pourrait dire heureuse, baignée de soleil et d'arcs-en-ciel dans les bassins de la rivière Guayamouco, une eau belle et large où les femmes lavaient leur linge les seins nus et où les enfants piquaient la tête en bas. À la mort de son père, sa mère désemparée avec huit bouches à nourrir l'envoya vivre chez un cousin à Port-au-Prince, dans un bidonville. Le cousin abusa de lui. Il s'enfuit bien vite et vécut dans la rue où on abusa de lui pendant plus de dix années. Il commença à comprendre le principe de l'offre et de la demande le jour où il proposa deux de ses petites copines de l'asphalte à des messieurs bien sérieux, à bord de belles voitures, et qu'ils acceptèrent. Il toucha l'argent, donna leur part aux filles à leur retour et se mit à réfléchir. Vingt ans plus tard, il n'avait aucun scrupule à vendre le corps des enfants des bidonvilles ou des camps de déplacés. Ils s'en sortiraient comme lui s'en était sorti, ou bien ils ne s'en sortiraient pas. Tout le monde doit vivre, les choix étaient serrés, il fallait chacun inventer son pire. C'est la vie même qui est dure.

Sept heures douze. Deuxième appel sans réponse. Ti Wil ne disait rien pour ne pas contrarier Golème. Il se rendait compte qu'il ne toucherait pas une gourde de la somme qu'il escomptait, son vendredi soir tombait à l'eau, sa réserve de paille[1] était épuisée. Il se baissa et, à l'aide de sa lampe de poche, trouva le petit mégot qu'il avait nonchalamment jeté plus tôt et le mit dans sa poche. L'autre ne viendrait pas. C'était la première fois que ça arrivait. Ce client s'était amené trois minutes avant l'heure les six autres fois. Il était aussi maniaque que Golème. Les phares d'une voiture pointèrent faiblement au loin. Le faisceau grandit au fur et à mesure. Golème mit une main en visière devant ses

1. Marijuana.

yeux pour mieux voir. Le véhicule, un tout-terrain, passa, les éclaira au bord de la route mais ne s'arrêta pas. Golème regarda le cadran du portable. Sept heures vingt-trois. Il ne viendra plus. Et merde !

Tatsumi intriguée déposa son téléphone portable sur la table de chevet. Sept heures trente. En l'espace d'une heure Fito Belmar était passé de l'homme qui l'invitait sans conviction ni anticipation à un dîner prévisible dans un restaurant de Pétion-Ville où elle verrait les mêmes expatriés s'enivrer des mêmes cocktails et danser le même reggae, à l'homme tendre et désespéré qui la suppliait presque de l'accompagner quelque part au bord de la mer, tout un week-end. Les hommes, les mâles, étaient les animaux les plus imprévisibles de la création et c'est peut-être l'une des raisons pour lesquelles à son âge elle n'avait pas encore lié son destin à l'un d'entre eux. Elle aimait se laisser surprendre par leur imprévisibilité, la flairer, la redouter, l'anticiper pour mieux la fuir ou en jouir. Il y avait de ces choses fragiles que la routine d'une vie à deux brisait irrémédiablement. Le compagnon de sa vie devrait être changeant comme les saisons à Tokyo.

Elle pensa à sa mère. Au téléphone, depuis sa maison de Shinano, dans la préfecture de Nagano, Ryoko Sato lui avait fait avant son départ des recommandations de prudence. Elle avait lu sur Internet que le choléra frappait la population haïtienne et que les dernières élections avaient causé des émeutes. Elle ne savait rien de Fito Belmar ni des écrivains haïtiens et caribéens que Tatsumi enseignait à l'université de Tokyo. Elle ne serait en repos que lorsque sa fille serait rentrée au Japon. Tatsumi la rassura et lui dit qu'elle connaissait du monde à Haïti. Tatsumi n'avait pas cru que sa mère tiendrait seule après la mort, l'an dernier, d'une tumeur au cerveau, de Kenji, son père. Il faisait froid dans la petite ville de Shinano en ce mois de janvier, dix mille âmes ne dégageaient pas beaucoup de chaleur pendant les longs mois d'hiver. Mais Tatsumi aimait se lamenter sur le sort de sa mère qui vivait sa nouvelle vie de femme seule, tout en sachant les ressources profondes de celle qui lui avait donné la vie. C'est de sa mère qu'elle tenait le goût du voyage. L'âge de la retraite atteint, son père et sa mère étaient revenus vivre à Shinano, leur patelin d'origine. Ils avaient laissé leurs traces au Canada, en France, en Belgique, en Afrique de l'Ouest, tous ces pays où leur fille unique avait vécu avec eux leur vie de professeurs itinérants. Moins de trois ans après leur retour, le compagnon de route de Ryoko prenait un raccourci. Elle avait jeté ses cendres dans la rivière Chimuka, comme il l'avait souhaité, ce qui n'avait pas plu au reste de la famille. Les traditions avaient la vie dure dans les coins retirés de l'archipel. Aujourd'hui, pour occuper ses heures, Ryoko écrivait une biographie romancée de Kobayashi Issa, moine bouddhiste et l'un des quatre plus fameux poètes de haïkus du Japon, né et mort à Shinano au début du dix-neuvième siècle. Le mois prochain elle se proposait d'aller filmer les singes des neiges et tremper ses rhumatismes dans les sources thermales de l'un des nombreux établissements spécialisés, au pied des Alpes de Nagano. Toutes ces choses que Kenji et elle se promettaient de faire durant leur retraite et qu'elle ferait, une façon de le tenir en vie en elle. Au moins, à Haïti, tu auras le soleil, avait-elle dit à Tatsumi en soupirant.

L'article prenait forme, Tatsumi avait rencontré beaucoup de personnes dans différents secteurs de la vie haïtienne, avait entendu des points de vue réalistes, antagonistes, apocalyptiques, extrémistes ou abracadabrants. Elle avait vu la misère nue, la douleur, la précarité et l'incertitude. On lui avait parlé avec force détails de Canaan, ce camp qui était à lui seul un microcosme de la situation post-séisme du pays. Elle regrettait de n'avoir pas eu le temps de le visiter. Le plus dur à supporter pour elle était l'érosion, la terre nue, tous les espaces brûlés de soleil où les hommes ne trouvaient plus refuge. Mais elle avait aussi découvert la beauté qui sortait des mains des artistes et artisans du pays. Un peuple vivait dans la pauvreté extrême et dans un imaginaire d'une richesse qui semblait se nourrir de ses manques mêmes. Toute une masse d'impressions tournaient dans sa tête alors qu'elle tâchait de trouver une cohésion à son texte. L'invitation de Fito tombait bien, il pourrait clarifier certains aspects ou apporter des nuances qui lui échappaient. À son retour à Tokyo, elle se proposait de peaufiner l'article, elle avait besoin, pour lui donner sa forme définitive, de recul, de distance entre elle et la réalité qu'elle avait touchée du doigt.

Elle se prépara du thé vert à la cuisine, elle emportait toujours du thé vert dans ses valises lorsqu'elle voyageait. Elle sortit s'asseoir sur la petite terrasse attenante à sa chambre, sirotant le breuvage chaud et regardant d'en haut les grappes de fleurs irisées d'un bouquet de bougainvillées du jardin. Elle se sentait bien, heureuse de retrouver sa chambre après ses visites épuisantes à Léogâne et Jacmel. Elle aimait quand les employés de la pension l'appelaient madame Tatsumi. Elle repensait à la semaine qu'elle venait de vivre, les jours avaient passé si vite. Haïti était un pays fascinant qui pouvait envoûter un étranger pour de bonnes ou de mauvaises raisons. Un pays qui pouvait aussi choquer et provoquer un recul irrémédiable. Il fallait l'aborder sans a priori et surtout ne pas se laisser envahir par la pitié ou la pudeur qui établissaient une distance avec les autres. Il fallait regarder les gens dans les yeux, se méfier mais leur parler, toucher leur humanité, et déchiffrer des sourires qui n'avaient pas de prix. Finalement, elle n'avait vu Fito qu'en deux occasions samedi dernier, lorsqu'il l'avait accueillie à l'aéroport et à ce fameux dîner au restaurant qui s'était terminé par sa gueule de bois. Bien que dans un état second, elle avait quand même eu conscience de ce qui lui arrivait et ressenti une grande gêne d'avoir donné un spectacle si pitoyable à l'homme. En général elle tenait bien l'alcool et s'expliquait mal son malaise. La fatigue et la cuisine très épicée y étaient sûrement pour quelque chose. Il faudrait qu'elle s'en excuse auprès de lui.

Comment la voyait-il ? Fito était plutôt taciturne, du moins avec elle, il ne lui livrait pas beaucoup de lui-même.

Le peu de temps passé en sa compagnie lui avait laissé l'impression d'un homme d'une grande culture mais impatient et indécis. Il avait une conversation intéressante mais sur des sujets volontairement neutres, à part la fois où il l'avait interrogée sur elle et l'amour. Aucun courant physique n'était passé entre eux et pourtant elle avait surpris sur elle son regard appréciateur. Elle le trouvait bel homme, bien servi par un physique resté jeune jusque dans l'âge mûr et malgré les deux rides profondes qui disparaissaient quand il riait. Mais son visage l'intriguait. Elle n'y déchiffrait aucun sentiment, sinon parfois de l'ennui qu'il camouflait mal. Elle s'était évertuée à retrouver dans son compagnon d'un dîner l'écrivain qui l'avait émue et enthousiasmée. Non, Fito ne correspondait pas à l'image qu'elle s'en était faite. Ça lui apprendrait à fantasmer sur un homme sans le connaître. Il ne pouvait pas être son écriture, ses audaces, ses rêves et ses fantasmes. Il était un homme qui l'avait déçue parce qu'il avait eu l'honnêteté d'être lui-même.

Mais pourquoi ce soudain besoin d'elle, car elle avait senti dans son second appel qu'il la cherchait, comme il chercherait une flamme dans le noir. Il la cherchait comme il l'avait fuie les autres fois. Au téléphone elle l'avait cru malade, il était essoufflé et anxieux. Elle avait senti de l'obscurité autour de lui. Que s'était-il passé dans l'espace d'une heure qui lui avait permis de détecter une fêlure dans la carcasse de Fito Belmar ? Deux jours à la mer. Que devait-elle penser ? Pouvait-elle se permettre de rêver ? N'allait-elle pas au-devant d'une désillusion ? Il valait mieux qu'elle reste sur terre et n'anticipe rien. Fito était un être imprévisible et tourmenté. Elle vivrait ce temps avec lui une heure à la fois, un partage à la fois. Elle serait son amie, cela elle le voulait. Elle prenait un pari sur le bonheur. Tatsumi décida de se mettre tôt au lit afin d'être en forme pour le long voyage du lendemain.

Fito frappa à la porte de Tatsumi à cinq heures cinquante-sept le lendemain matin. Elle l'attendait, sa valise prête et un chapeau de toile jaune sur la tête, la soie de ses cheveux coulant sur son dos, une lueur d'anticipation dans les deux billes noires de ses yeux et sa bouche rouge sombre, comme si ses lèvres venaient d'être mordues. Fito ressentit l'urgence de la mer, il était content de savoir que Tatsumi la verrait avec lui, qu'elle la découvrirait comme lui, sa compagnie le rassurait. Mais la route serait longue, aussi longue que leur impatience d'arriver. Il traversa sans problème Martissant qui se frottait encore les yeux. Il opta malgré tout pour la route des Rails, car il prévoyait plus de trafic au niveau de Diquini. Carrefour derrière lui commençait à tisser les fils d'un canevas serré de vies. Il déboucha sur Mariani et sur la mer. La pauvre mer lourde de la crasse et des rejets en plastique du peuple de Carrefour. Mais la mer bleue qui buvait doucement les premiers rayons du soleil. Fito la trouva belle dans sa douleur. Plus loin, les champs de canne de Gressier baignés déjà d'un soleil neuf. La mer devenait de plus en plus bleue à la fenêtre de la Jeep. Tatsumi était sereine, en connexion avec le paysage qui filait sous ses yeux. Il était reconnaissant de sa présence, de son mystère et de sa simplicité.

Environ huit heures de route les attendaient. Une cohabitation qui ne faisait que commencer. Ils se rendaient compte à quel point ils étaient étrangers l'un pour l'autre. Pourtant leur présence dans la voiture filant à vive allure dans la lumière généreuse semblait aller de soi. Ils ne se parlèrent pas beaucoup. Il leur fallait de temps en temps se retrancher dans le silence. Fito se concentrait sur sa conduite en même temps qu'il absorbait le paysage, la profusion de vert, le soleil dans les nuages. Et quand ils se parlaient les mots avaient vocation d'explorer, une sorte d'acclimatation, de mise en humeur. Ils allaient au-devant de quelque chose mais ne savaient pas exactement de quoi. Ils sentaient seulement que l'air qu'ils respiraient devenait de plus en plus léger malgré l'odeur pourrie et douce de bagasse des guildives de la plaine de Léogâne, qui s'insinuait dans la voiture. Fito ne pensa pas aux morts de Léogâne, l'une des villes les plus touchées par le séisme, aux maisons brisées, à l'asphalte fendu de l'autoroute. Il prenait congé de cette douleur pour un moment. Carrefour-Fauché. Tatsumi reconnut l'embranchement vers les mornes de Jacmel dont elle était revenue la veille. Des équipes d'une compagnie de travaux publics travaillaient sur plusieurs points de la nationale. La poussière montait haut au-dessus de leurs têtes. Des engins lourds entravaient la circulation. Il fallait ralentir, circuler au compte-gouttes, perdre de longues minutes. Un déficit de soleil. Un manque à gagner d'évasion. Une fois les bouchons passés, Fito roulait vite. Grand-Goave, Petit-Goave, Miragoâne filèrent, emportés dans la chevelure des cocotiers. Fito emprunta le détour évitant l'étang de Miragoâne qui recouvrait depuis quelques années un long tronçon de la nationale. Carrefour-Quatre-Chemins. Il traversa la ville des Cayes sans ralentir, ne se souvenant plus de la dernière fois qu'il s'y était trouvé. Il restait obsédé par Port-au-Prince et son marasme. Il restait obsédé par Canaan. Mais il allait passer deux nuits aux Abricots avec Tatsumi, il s'était évadé de prison. Il repartirait à l'aube lundi et serait de retour en début d'après-midi à Port-au-Prince avec du soleil plein les yeux, plein la peau. Fito avait préparé un casse-croûte. Ils s'arrêtèrent dans la fraîcheur de Camp-Perrin et partagèrent des sandwiches thon et cornichon dans la voiture garée sous un manguier. Ils avaient faim et mangèrent avec appétit, en soupirant parfois. Le café était chaud dans la bouteille thermos. Un âne traînant une longe s'approcha tranquillement d'eux, les humant de ses grandes narines frémissantes et humides. Tatsumi le prit en photo. Fito descendit fumer une cigarette et elle en profita pour se dégourdir les jambes. Ils se cherchaient furtivement du regard.

La plaine des Cayes rutilait sous le soleil et l'odeur de la terre montait, couvrait la route. Fito éteignit la climatisation de la voiture pour respirer l'humus. Le vent força avec bruit son entrée aux fenêtres. Tatsumi attacha avec une barrette ses cheveux qui lui fouettaient le visage. Jérémie fut dur à atteindre. Une route à casser les reins et les essieux. En cette période de sécheresse, ils traversèrent la rivière Glace sans aucun souci, elle coulait douce et claire. Il était difficile de croire que, gonflée par la pluie, elle pouvait emporter sans état d'âme les vies de voyageurs trompés par son innocence cristalline. Les trois ponts sur la Voldrogue, la Guinaudée et la Rivière Grande-Anse annoncèrent l'arrivée dans la cité des poètes. La mer reparut et courut un moment avec eux jusqu'à l'entrée de la ville. Une étape importante était franchie mais le plus dur restait à faire. Les cocotiers dansaient une danse métallique sous le soleil et le vent, partout respiraient des bananiers, des chênes, des touffes d'arbustes aux fleurs timides ou éclatantes. La Jeep laissait derrière elle un nuage de poussière. Beaumont parut avec sa rue principale et ses deux rangées de maisons étroites et hautes, alignées comme dans une toile de Labadie. La qualité de la terre changeait, elle devenait blanche, nerveuse, avec des veines sombres, laissant sur la route des éboulis de toutes tailles qu'il fallait contourner. Certains passages étroits, serrés entre morne et falaise, inquiétèrent Tatsumi, à ces niveaux-là le croisement de deux véhicules était périlleux. Ils laissèrent Jérémie, s'enfonçant davantage dans la Grande-Anse. Le village de Bonbon les salua avec un relent de poisson séché. Fito dut se renseigner pour prendre le bon embranchement vers Abricots. Il tourna à gauche, à l'assaut d'un chemin de roches rouges qui se fondait dans un dédale de mornes couverts d'une flore épaisse. Une route de cabri. La voiture s'accrochait aux éclats pierreux, aux racines qui couraient comme des reptiles sous les pneus. La végétation dense semblait s'ouvrir pour leur livrer passage. Abricots, la secrète, n'était plus bien loin.

Il était partout le chant de la mer. Une rumeur de gorges profondes qui venait de loin s'effilocher sur le sable blanc. L'eau bleue montait, roulait, tombait, chuintait à intervalles décousus, dans une complicité infinie avec le vent. La mer vivait dans la chambre, dans la multitude des cocotiers bruissant au fond des vallons et sur les crêtes, dans le vol des malfinis tournoyant haut sur le village, ailes déployées, fendant le vent. Jean-Claude les attendait chez lui, dans la demeure de sa mère et de son enfance. Une petite maison en blocs de ciment, peinte en jaune beurre, coiffée de grands arbres et pudiquement gardée par une clôture en bois sur laquelle courait une vigne sauvage, un peu effacée par le bleu et le blanc triomphants de l'église voisine dédiée à la Vierge Immaculée et qui lui prenait une part de son soleil. Après les embrassades, il les conduisit à la maison sur la plage, à cinq minutes à pied. Il les logea au premier, dans une salle vaste et claire au plancher de contreplaqué, à laquelle on accédait par un escalier tortueux. La chambre donnait sur un balcon ceint d'un parapet aux balustres croisés et qui tenait l'océan entre ses poutres de bois brut. À droite de la maison il y avait un terrain vide et à gauche la cabane à la toiture rongée de soleil du pêcheur Louinis. Abricots était un village de mille deux cents âmes, caché dans un écrin émeraude, entouré de mornes qui se terminaient en deux pointes de terre, de part et d'autre de la plage, comme pour la garder des regards. Pour entrer sur la plage, il fallait franchir un petit portail, suivre un chemin qui traversait quelques tombes, sur l'emplacement d'un cimetière colonial. À droite du cimetière, un pan de morne s'élevait presque à angle droit, couvert depuis le niveau de la mer jusqu'à son sommet d'une végétation dense qui lançait d'énormes branches assoiffées de soleil. Les pierres et les briques des caveaux rongés et noircis par le sel des embruns donnaient à la mort dormant en ces demeures un goût de paisible éternité. Les tombes semblaient faire partie du domaine des hommes et les morts vivaient dans l'amitié des vivants. À gauche du cimetière étaient quelques maisons, le sable à perte d'yeux, et la mer.

Tatsumi resta sans voix quand elle découvrit que son hôte était l'écrivain qu'elle avait lu et qu'elle se trouvait dans le village même où était né son premier roman, celui qui l'avait révélé au monde. Fito voulait lui en laisser la surprise. L'émotion sur le visage de la femme fit sourire les deux hommes. Jean-Claude et Fito ne s'étaient pas rencontrés souvent dans leur vie, mais une estime réciproque les gardait dans une amitié se fiant aux vertus du silence et de la distance. Fito avait tout naturellement demandé à son ami de critiquer son premier manuscrit et avait échangé avec lui des idées pendant quelque temps. Un précieux partage d'imaginaire et de lucide folie. L'alcool et les plaisirs avaient ensuite entraîné Fito loin de la violente beauté des mots. Il se souvenait que Jean-Claude l'avait mis en garde contre les sirènes du succès et l'hypocrisie du monde. Paranoïa de vieux loup solitaire, s'était-il dit. Il n'était que trois heures de l'après-midi mais le soleil penchait déjà vers l'horizon. C'était l'instant d'une lumière tiède et dorée et comme sentant dans l'air les premiers frémissements de l'ombre. Des canots dansaient sur les flots aux reflets métalliques, des pêcheurs rentraient. Une flopée d'enfants restaient sur la plage, devant la maison, curieux, cherchant à voir Tatsumi.

Jean-Claude retourna à ses activités de maire du village après leur avoir présenté Mme Euchèle qui s'occuperait de leur déjeuner. Elle cuisinait le meilleur poisson du village, séché ou frais. Fito avait apporté des provisions pour les autres repas. Et ils se retrouvèrent brusquement seuls dans la chambre, la mer sous leurs yeux quoi qu'ils fassent.

Ils s'installèrent en prenant leur temps dans cet espace
qui leur appartiendrait pendant les deux prochains soleils.
Chacun perdu dans ses pensées. Leurs corps s'acclimatant
à la nouvelle lumière et à la présence de la mer. Ils trouvèrent leur coin dans la chambre, comme si un tracé pré-
établi leur indiquait à chacun sa niche, un tabouret où
poser une trousse de toilette, le bon clou pour pendre ses
vêtements. Le matelas recouvert de draps frais était posé à
même le sol, innocent et impudique, trait d'union éven-
tuel de leurs tâtonnements. Les provisions, les deux lanternes à énergie solaire et la glacière trouvèrent leurs places
à l'entrée de la pièce, sur une table près de l'escalier. Fito
avait pris des CD, une radio et des piles, mais il ne mit pas
encore de musique. La rumeur de la mer réclamait toute la
place, elle envahissait sans partage les particules de lumière
flottant dans la chambre. Ils finirent de ranger leurs
affaires. Fito savait le prochain geste à faire. Le geste de
l'homme qui dirait le moment venu de se toucher, de
mêler leurs soupirs. Tatsumi regardait la mer par l'une des
grandes fenêtres de la chambre, elle se tenait dans un

silence ouvert mais ne venait pas vers lui. Tant mieux, pensa-t-il. Il sentit une sorte de désarroi retenir ses muscles, atrophier toute possibilité d'élan vers elle. Il était sûr de la décevoir. Il eut froid malgré la douceur de l'air. Il prit son paquet de cigarettes et descendit sur la plage. Tatsumi resta dans la chambre pour faire son interview par téléphone.

Cette soudaine liberté et la brusque solitude effrayèrent Fito. Il sentait comme une petite brûlure chaque bulle de l'écume qui lui léchait les chevilles. Il se tourmentait de ne pas avoir une urgence à gérer ou un délai à cerner. Il n'arrivait pas encore à se soustraire au monde. Canaan le réclamait avec force, jaloux de toute la distance qu'il avait mise entre eux. Il ne pouvait relâcher ses poings qui se refermaient, il cédait de nouveau à la dureté qui réclamait son corps. Il avait conduit sa voiture le plus fort de la journée pour arriver en ce lieu, heureux et impatient comme un enfant, mais l'immensité bleue sur sa tête et l'océan à ses pieds l'écrasaient. Qu'avait-il cru ? Que la distance, le soleil et la mer pourraient le libérer des démons dans sa tête ? Que la présence de Tatsumi l'affranchirait de sa fascination pour Canaan ? Qu'il pourrait vraiment arrêter d'imaginer le visage de Louloune qu'il avait fui ? Qu'il pourrait se défaire de l'illusion d'avoir déçu l'attente de cette enfant pure ? Comme il s'était trompé ! Il aurait voulu faire marche arrière, retourner au jour d'avant, vingt-quatre heures plus tôt, à cette soirée de la veille où il avait été lâche. Il avait fui ce bonheur qu'il anticipait, dont il avait rêvé, il avait déçu l'attente d'une fillette. Elle s'appelait Louloune. Elle l'avait attendu.

L'euphorie avait été de courte durée. Il était désespérément seul devant cette mer trop vaste, cette brise trop douce, le ciel trop près de sa tête. Son corps était tout en nœuds que le vent emprisonnait. Il prit quelques inspirations profondes. Il devait s'oublier, cesser de retomber à l'intérieur de lui-même. Il devait s'ouvrir au vent, aux nuances de bleu, étendre ses ailes ankylosées. Il devait... Il devait. Mais le clapotis incessant de l'eau bloquait tous ses passages, ses chakras, comme dirait Franck. Il regarda au-dessus de sa tête. Deux immenses malfinis arpentaient le ciel du village, noirs, sinistres et majestueux, ailes tendues dans la perfection de leur vol.

Il y avait eu un premier vendredi. Il y avait eu Ketia. Elle regardait Fito avec une curiosité dévorante et ne semblait pas avoir peur. Son petit corps le questionnait. *Pouki wa p manyen m konsa a? Pouki wa p bo m sou bouch mwen? Pinga ou fè m mal non, papy. Ou pa p fè m mal, pa vre*[1]*?* Fito, fasciné, la touchait avec tendresse, répondant à sa prière muette. Il y avait des bruits de pas dehors, dans le corridor, des voix se parlaient, des bribes de musique flottaient dans l'air, un petit chien lâchait des aboiements grinçants, mais tout ça se passait dans une autre dimension. La gamine savait qu'on utilisait son corps, que Golème donnait de l'argent à sa mère chaque fois qu'elle allait sous la tente avec un papy. Golème apportait parfois un demi-sac de riz Miami et un gallon d'huile de soya pour sa maternelle, mais Ketia ne l'aimait pas. Il avait une façon de la regarder, de la traverser de part en part avec son regard qui lui donnait mal au ventre. Fito suait à

---

1. «Pourquoi tu me touches? Pourquoi tu m'embrasses sur la bouche? Ne me fais pas mal, papy. Tu ne me feras pas mal, dis?»

grosses gouttes et sa transpiration fascinait la fillette. Elle lui tendit un carré de serviette posé sur une pointe de la natte, à gauche de sa tête. Il enfonça son visage en feu dans le tissu-éponge, elle l'avait soulagé. Ketia avait douze ans mais en paraissait moins. Elle n'allait plus à l'école depuis le séisme. Elle ne connaissait pas son père. Sa mère, qui, avant, vendait du manger-cuit au marché Tête-Bœuf, avait perdu sa jambe droite et quatre doigts de la main droite quand un pan de mur s'était effondré sur elle et ses chaudières qu'elle lavait. Une ONG spécialisée lui avait posé une prothèse en plastique, une jambe d'un marron brillant qui faisait peur aux plus petits. Bien qu'elle ait suivi quelques séances de physiothérapie pour réapprendre à marcher avec sa jambe neuve, la mère n'avait pas trouvé de thérapie pour réapprendre à vivre et à nourrir ses enfants. Ketia et Nadège, son aînée d'un an, mettaient le pain dans la bouche de leurs quatre jeunes frères et sœurs. Ketia allait sous la tente depuis deux mois environ. Elle n'avait plus mal dans son corps mais ne comprenait toujours pas un tas de choses. Sa nature curieuse butait contre quelque chose qui la dépassait. Les questions ne quittaient pas ses yeux. *Pouki wa p swe konsaa? Pouki sa wa p manyen m? Poukisa wa p met lang ou nan bouch mwen*[1]*?* Nadège lui avait dit qu'elle devait se laisser faire, ne pas trop poser de questions comme elle en avait l'habitude, de faire semblant de n'avoir pas peur, de toucher les papys dans des endroits bien précis pour que ça finisse vite. Après, elle irait se laver

---

1. « Pourquoi tu transpires comme ça ? Pourquoi tu me touches ? Pourquoi tu mets ta langue dans ma bouche ? »

et écouter la vieille Viola raconter des histoires de loups-garous aux gosses, derrière la citerne que venait de construire le pasteur Sarrazin et les membres de son Église. La rumeur disait que Viola était une loup-garou, elle aussi, mais les enfants fascinés revenaient l'écouter chaque soir. Fito déboutonna sa chemise mais ne l'enleva pas. Le sang cognait à ses oreilles, de plus en plus fort. Il pourrait bien mourir en cet instant. Cette évidence décuplait son désir. Il touchait au fil ténu de la vie, il frôlait l'enfance de la vie. Il n'était pas lui-même. Il se voyait en double. L'autre Fito, gorgé de sang et de folie, défaisait la boucle de son ceinturon. L'autre Fito tremblait à l'intérieur de son corps, hypnotisé par ce corps d'enfant à la féminité à peine ébauchée. Elle posa sa petite main sur son désir, pour finir vite et aller écouter les histoires effrayantes de la vieille Viola derrière la citerne du pasteur Sarrazin qui achetait l'eau par camion-citerne et la revendait cinq gourdes le seau.

Quand Fito sortit de dessous la tente, il vit Golème qui l'attendait à quelques pas, causant devant la table d'un vendeur de borlette. Golème chercha les yeux de Fito mais celui-ci regarda ailleurs, prit son paquet de cigarettes dans sa poche. La première bouffée de tabac le ramena à une brutale réalité, il en ressentit le choc dans sa nuque. Ils refirent la route en silence. Fito sentait la curiosité et l'impatience de l'oncle qui finalement lui demanda :

— Patron, tout bagay anfòm ?

— Hmmm... wè...

— Ti grenn nan te nan gou w ?

— Hmmm... wè[1]...

Golème insista, pas rassuré par le mutisme distant de Fito.

— Patron, fòk ou dim si tout bagay byen pase wi... m ka pote koreksyon... konsa pwochènn fwa ou ka pi byen fè l[2].

Pwochènn fwa ou ka pi byen fè l... En entendant le parler de l'oncle, Fito eut envie de l'étrangler, de lui enfoncer une lame dans les tripes, de le noyer dans un seau d'eau. Il n'y aurait pas de prochaine fois, pas d'autre petite fille, il ne céderait plus à ce désir abject et ne mettrait plus les pieds en ce lieu de misère et de perdition. L'homme lui badigeonnait le visage de son dégoût, de la nausée qui montait traîtreusement à sa gorge. Il avait envie de lui dire : *Ta gueule ! Ferme ta sale gueule, fils de chienne !* Mais il ne dit rien, serra ses mâchoires et se réfugia dans son silence. Il devait masquer ses sentiments, il était à la merci de cet individu à Canaan, un immense camp de déplacés où ce serait un jeu d'enfant de le faire disparaître. L'oncle scruta le profil de Fito dans l'ombre de la ruelle mais n'ajouta rien, il avait compris, le papy plongeait pour la première fois, il avait des états d'âme, il gérait ses scrupules. Golème choisit de se taire, de changer de tactique.

---

1. « Patron, tout va bien ? — Hmmm... oui... — La petite était à ton goût ? — Hmmm... oui... »
2. « Patron tu dois me dire si tout s'est bien passé... je peux apporter des corrections... comme ça la prochaine fois tu prendras mieux ton pied. »

Quand elle ne trouva aucune réponse à ses questions, Ketia ferma les yeux et appela Viola. La voix basse et râpée de la vieille loup-garou s'infiltra sous la tente et l'entraîna loin de Canaan, dans un voyage d'ombres et de lumières. Elle n'avait plus peur. Viola était son ange gardien et ses petits yeux brillants dans la nuit la guidaient. C'était ainsi chaque fois qu'elle allait sous la tente. Quand la main d'un homme se faisait plus lourde sur sa peau, la voix de Viola entrait dans sa tête et lui contait une histoire étrange, à la mesure de sa soif. À chaque voyage, elle changeait de nom et d'histoire selon un rituel connu seulement de Viola et d'elle. Ce soir-là elle serait Udovia. La voix de Viola redisait l'histoire, son histoire. Il y a très longtemps, à Port-à-l'Écu, un village au nord-ouest de l'île, Udovia vivait avec son père Fénelon et Séraphine sa belle-mère. Fénelon était un brave pêcheur, un veuf qui avait trouvé en Séraphine une autre mère pour sa fille qu'il adorait. Fénelon ne se doutait pas que son épouse entretenait des passions dangereuses. Séraphine était fascinée par les pierres précieuses et aurait vendu son âme pour en avoir. Séraphine qui ne pouvait avoir d'enfants était aussi jalouse des attentions de Fénelon pour Udovia et la maltraitait en cachette. Udovia pleurait mais n'osait raconter les méchancetés de sa belle-mère qui l'avait menacée de lui crever les yeux si elle la dénonçait à son père.

Tous les enfants du village craignaient Moussa le bijoutier et souvent, pour leur faire peur, leurs parents les menaçaient de les donner au baka[1] du Syrien. Les adultes aussi craignaient le puissant et riche notable. Nombre de villageois lui devaient des services ou de l'argent et le Syrien avait pouvoir sur leurs consciences. Mais la richesse et le pouvoir de Moussa lui venaient d'un diable qu'il nourrissait dans son corps. On prétendait que Moussa avait à la jambe droite un baka caché dans une crevasse et qu'il devait nourrir de chair fraîche. Chaque jour, le Syrien appliquait un morceau de viande de bœuf sur sa jambe que le baka mangeait. Mais quand l'esprit malin trouvait de la chair d'un jeune enfant, la fortune du bijoutier pouvait décupler en une nuit. Séraphine, qui convoitait une merveilleuse émeraude montée sur une bague en or dans la vitrine du Syrien, ne savait qu'imaginer pour posséder le bijou. La pierre était grosse comme un œuf. Toutes les femmes du village convoitaient la bague et se consumaient du rêve impossible de l'acquérir. La gemme valait une fortune. Séraphine en perdait le sommeil, devenait plus acariâtre et abusait davantage de la faiblesse d'Udovia. Un jour, harcelée par l'envie et la cupidité, la marâtre offrit au Syrien sa petite belle-fille en échange de l'émeraude. Le marché fut conclu.

1. *Baka* : mauvais génie.

La veille du jour où elle devait être remise au bijoutier, Udovia vit en rêve une très vieille femme qui déposa dans sa main un grain de wari[1]. Udovia ignorait que cette vieille femme était sa grand-mère maternelle et qu'elle appartenait à une société de loups-garous. Elle disparut dans un souffle rouge en lui disant : Tu la jetteras sur la bête en visant le point entre ses deux yeux. À son réveil Udovia trouva entre ses draps le grain de wari, gros comme l'œil d'un bœuf. Elle le glissa dans sa poche. Le Syrien était un bel homme, avec de longs cheveux lui tombant sur la nuque. Il s'habillait toujours de noir et boitait de la jambe droite. Une insoutenable odeur crue se dégageait de lui et son front était moite de sueur. Udovia trembla de tout son corps quand elle le vit. Elle tenta de fuir, mais Moussa la cernait de partout, la frôlant de ses mains moites. Sur le sac de couchage, Ketia haletait, gémissait, projetait ses bras en avant, son cœur battait la chamade. Il faisait chaud sous la tente et l'homme suait à grosses gouttes en lui disant : Chut… tais-toi… n'aie pas peur… je ne te ferai pas de mal… Udovia songea alors au grain de wari toujours dans sa poche et, s'échappant dans un ultime effort de l'étreinte du bijoutier, elle lui lança de toutes ses forces la baie dure entre les deux yeux. Le Syrien foudroyé se tordit, le corps secoué de spasmes, et tomba sur le sol en poussant un cri inhumain. Et de sa jambe droite qui convulsait encore sortit un jeune et beau rasta qui s'approcha d'Udovia. Il était captif du baka du Syrien à qui il avait été vendu des années avant. Il se tint derrière elle, l'entoura de ses deux bras et s'attacha à elle en soudant le

1. *Wari* : jeu de société (aussi appelé « awalé »).

creux de ses gros orteils aux tendons d'Achille d'Udovia. Ils furent soulevés de terre. Elle traversa le plafond et s'envola dans le ciel avec le beau jeune homme. Ketia ouvrit les yeux, elle entendit des pas sous la tente. Une silhouette grise, le dos voûté, se faufilait sous le rideau pour se fondre dans la nuit du camp.

Le soleil appliquait du bronze sur la mer. Une féerie de teintes violentes et douces qui enrobaient toutes choses vivantes et mortes. Deux canots de pêches rentraient. Le tintement des glaçons le ramena aux Abricots. Tatsumi arrivait, deux verres en main. Elle avait changé de tenue et troqué ses vêtements de voyage contre un short kaki et une blouse en coton blanc au col échancré. Fito pouvait deviner son corps plat, ses petits seins dont il ne voyait que les mamelons affleurant sous le tissu de son corsage, la protubérance osseuse de ses hanches sous le short en kaki. Son corps frêle qu'il avait tenu un soir d'ivresse, aussi léger que celui d'un enfant. Tatsumi était son inconnue. Qu'est-ce qu'elle pouvait bien foutre dans cet instant de sa vie ? Elle allait pieds nus. Elle lui tendit un verre. Il avait soif d'un whisky mais n'avait pas encore pu se résoudre à s'en servir un. À leur droite, plus loin sur la plage, des pêcheurs finissaient de vider une senne d'une pêche miraculeuse de sardines. Dès l'apparition de Tatsumi, des enfants qui observaient la maison de loin se rapprochèrent pour la regarder. Ils chuchotaient, gloussaient, riaient et la dévoraient des yeux, demeurant à une distance respectable, n'osant trop approcher du couple. Fito les entendit dire tout bas *Ching chong! Ching chong!* en pointant le doigt dans la direction de la femme.

— Qu'est-ce qu'ils disent? demanda Tatsumi intriguée par les deux syllabes qui semblaient se rapporter à elle.

— Ils t'appellent *Ching chong,* c'est-à-dire Chinoise. Ils croient que tu es une Chinoise.

— Tiens! Ce n'est pas la première fois qu'on me prend pour une Chinoise depuis que je suis arrivée dans ton pays.

— Pour la plupart des Haïtiens, tous les Asiatiques sont des Chinois. C'est culturel, ne t'en offusque pas.

Fito pensa à Gaëlle et à sa furie jalouse contre toutes les Chinoises de la terre.

Tatsumi demanda à Fito de lui apprendre deux phrases en créole. Elle répéta un moment les mots, d'abord avec difficulté, puis au fur et à mesure avec plus d'aisance. Elle se dirigea ensuite avec détermination vers les enfants. Ils la virent arriver avec surprise et méfiance. Un petit garçon effrayé voulut s'enfuir mais les autres le retinrent par le pan de sa chemise. Ils avaient un peu peur de cette étrangère à la peau si blanche, aux cheveux si longs, aux yeux qui semblaient les regarder de travers. Mais elle les fascinait. Ils entendirent les mots sortir de sa bouche mais ne les comprirent point. Elle répéta sa phrase trois fois en leur souriant, l'index pointé vers sa poitrine :

— Mwen pa rele Ching chong. Mwen rele Tatsumi[1]. Tat... su... mi.

---

1. « Je ne m'appelle pas Ching chong. Je m'appelle Tatsumi. »

Finalement ils comprirent. Ils partirent en riant, lâchant des cris aigus, s'égaillant comme une volée de tourterelles dans toutes les directions et chantant dans le vent Tatsumiiiii... Tatsumiiiii...

Les cris s'échappant de la gorge des enfants vrillèrent les tympans de Fito. Leur insouciance le blessa. Ils semblaient heureux, gourmands de vivre. Où était passée l'insouciance des enfants de Canaan ? N'avaient-ils pas les mêmes cris de bonheur cachés dans leurs corps ? Comment une même terre pouvait-elle engendrer tant de frontières ?

Ils restèrent un bon moment sur la plage, assis à même le sable, regardant la nuit tomber comme une ouate sombre et les feuilles des arbres devenir des ombres douces agitées par le vent. Il n'y avait presque plus personne alentour. Parfois passait un riverain pressé de rentrer, se souvenant, dès que venait la brune du soir, de toutes les histoires de zombies et de galipotes[1] de l'enfance des villages. Le whisky, la douceur de l'air et le parfum de pêche de Tatsumi avaient allégé l'humeur de Fito. La tension dans sa nuque se relâchait progressivement. Il riait même à présent et Tatsumi ne pouvait s'empêcher de désirer l'éclat mouillé de ses dents. Elle réalisa qu'ils ne s'étaient pas encore embrassés, qu'elle ne connaissait pas le goût de sa bouche, la secrète chaleur de sa langue. Elle réalisa qu'il ne la désirait pas. Jean-Claude avait raison. Le poisson en court-bouillon que leur servit ce premier soir Mme Euchèle, en guise de repas, était succulent, avec juste assez de piment et accompagné d'ignames et de bananes

---

1. *Galipotes* : êtres surnaturels possédant le don d'ubiquité.

124

vertes bouillies. Ils burent du jus frais de fruit de la Passion. Après avoir mangé, Fito fut envahi d'une soudaine et violente fatigue. Il se déshabilla, se laissa tomber en slip sur le lit, la mer divaguant dans sa tête.

Tatsumi regarda l'homme étendu sous ses yeux. Il faisait toute la longueur du matelas. Il était couché sur le dos, la tête soutenue par un oreiller, les pieds nus. Son souffle faisait un *pfff… pfff* léger chaque fois qu'il forçait le passage de ses lèvres. Il avait des muscles longs et graciles. Des veines couraient sur ses pieds et ses chevilles, sur ses bras aussi. Son corps imberbe paraissait inoffensif, comme l'était son sexe flasque. De quoi rêvait-il ? Le laissait-elle vraiment indifférent ? Quels démons habitaient ce corps qui gardait encore un air d'adolescence malgré les fêlures de l'âge ? Quel pouvait être la cause secrète et sombre du tourment qui le rongeait ? Car elle avait perçu son changement d'humeur depuis leur arrivée aux Abricots, comme un voile qui avait recouvert son regard. Devait-elle avoir peur de lui ? Devait-elle lui parler de l'ombre qui se tenait entre eux, risquer de rompre la fragile harmonie qui les liait ? Tatsumi décida de sortir prendre un bain de mer. Seule la mer pourrait calmer sa peau, l'attente de sa peau, l'angoisse de sa peau. Elle attrapa une lanterne et sortit de la maison. Elle nagea un moment dans la mer tiède, noire comme de l'encre à cette heure, et revint vite s'allonger sur une serviette étendue sur le sable. Il était seulement neuf heures du soir mais l'obscurité alentour était dense comme au plus profond de la nuit. Le chant de la mer continuait, nerveux et obsédant.

Le bois-fouillé[1] glissa sur le sable, poussé par une vague déferlante. Les deux pêcheurs vêtus seulement de leur slip remontèrent les rames et sautèrent lestement sur le rivage. Leurs corps tout en muscles et en sueur étaient beaux et luisaient sous le soleil. Ils étaient heureux, la pêche avait été bonne. Une seule prise, une énorme bonite à ailerons jaunes, elle devait faire dans les cent kilos et emplissait le fond de la petite embarcation. Fito approcha du canot, il voulait photographier la prise. Il avait emmené son vieux Polaroid qu'il n'utilisait plus depuis au moins une vingtaine d'années. Une vraie relique. Les deux hommes hissèrent le poisson hors du canot avec beaucoup d'efforts, l'un le tirant par la queue, l'autre soulevant l'énorme tête en s'agrippant aux cartilages ouverts de part et d'autre des yeux vitreux. La bête pesait lourd. Ils la couchèrent sur le sable. Le harpon avait accroché sa bouche qui saignait. La vue et l'odeur crue du sang répugnèrent à Fito. Mais il partageait la joie des deux hommes. Il pressa sur le bouton,

1. *Bois-fouillé* : canot creusé dans un tronc d'arbre.

le déclic se fit entendre et au bout de quelques secondes la pellicule glissa du ventre de l'appareil, montrant une image floue et humide. Fito anticipait déjà le plaisir de faire voir la belle photo aux pêcheurs. Ensuite il en prendrait une autre qu'il leur offrirait. Il secoua le film dans l'air pour en accélérer le séchage. Il compta jusqu'à dix. Et il regarda. Sur la photo soudainement agrandie il vit avec horreur Louloune, en gros plan, couchée sur le sable, un harpon accroché à sa bouche qui saignait. Louloune, celle qu'il avait fuie, terrassé sur la nationale. Louloune, la petite vierge trouvée spécialement pour lui. Celle qui coûtait plus cher mais qui devait le laver de toutes ses souillures. Il pouvait enfin voir son visage. Du sang sortait aussi de dessous les plis de sa robe blanche collée à son corps et rougissait le sable autour d'elle. Fito entendit dans la photo le ricanement des deux pêcheurs et reconnut avec effroi Golème et Ti Wil, son assistant dont les dreadlocks tournoyaient autour de sa tête comme les tentacules d'une méduse. La dent en or de l'oncle attrapa un rayon de soleil qui lui brûla les yeux. Il hurla de douleur. Mais leur rire s'amplifia jusqu'à couvrir tout l'océan. Fito se réveilla en sursaut, le front moite, la gorge sèche. Dehors la mer roulait ses vagues et le sable soupirait.

Fito regarda autour de lui, il eut besoin de quelques secondes pour se resituer dans l'espace. Une bougie brûlait dans un coin et Tatsumi n'était pas dans la pièce. Il fouilla dans son sac de voyage pour trouver son téléphone portable. Il l'avait laissé loin de ses yeux pour ne pas céder à la tentation d'y répondre. L'écran marquait onze heures cinq et il trouva seize appels en attente. Franck le cherchait, il avait appelé une demi-douzaine de fois. Il y avait quatre appels de relations de travail et une de Camille, sa seconde ex-femme. Il y avait aussi quatre numéros qu'il n'identifia pas. Canaan avait appelé une fois, une seule, à sept heures précises, l'heure de son rendez-vous raté de la veille, comme pour lui rappeler sa traîtrise. Soupirant, Fito replaça le téléphone au fond du sac et en sortit un tee-shirt qu'il enfila. Il ouvrit une bouteille de vin blanc prise dans la glacière, en versa dans deux gobelets en plastique et sortit de la chambre. Il trouva Tatsumi sur le balcon éclairé par une lanterne. Quand elle le vit arriver, elle ferma le livre qu'elle lisait.

Il lui tendit le gobelet de vin et s'assit à côté d'elle.

— *Hai! Arigato gozaimasu*[1] ! Bien dormi ?

— Hmmm… pas mal. Qu'est-ce que tu lis ?

— *Banal oubli*… Gary Victor. Tu veux y jeter un coup d'œil ?

— Non… merci — il lui répondit en fouillant des yeux l'obscurité —, j'ai la tête pleine de trucs bizarres ces jours-ci. Alors les bizarreries de Gary Victor, très peu pour moi, Tatsumi.

— Je l'ai trouvé hier dans une librairie à Port-au-Prince, poursuivit-elle. Je ne m'attendais pas du tout à ça. Son traitement du mysticisme ésotérique haïtien est intéressant… Il est assez bizarre, comme tu dis.

— Tu l'aimes, ce bouquin ?

— Oui… jusqu'à présent, j'aime ce qu'il en fait. L'histoire me rappelle vaguement *Dogra Magra*, le roman de Kyûsaku Yumeno… tu connais ? C'est un écrivain japonais atypique du début du vingtième siècle. Comme Victor, son œuvre est rangée dans la littérature policière mais, en fait, elle échappe à toute classification. Yumeno… un écrivain fascinant. Les étudiants en lettres redoutent toujours de tomber sur lui dans leur cursus… c'est vrai qu'il peut être rebutant.

— Et moi, est-ce que je te rebute, Tatsumi ?

Tatsumi sursauta à l'incongruité de la question de Fito et n'y répondit pas. Elle ne s'habituait pas à ses sorties brusques qui ne lui laissaient aucun refuge hormis le silence. Que voulait-il lui dire ? Essayait-il de la piéger ?

---

1. « Merci beaucoup ! »

Quel était ce poids qu'il portait et le rendait haïssable à ses propres yeux? Ou était-ce seulement qu'il aimait s'amuser à lui poser des questions étranges et inattendues qui la désarçonnaient? Un petit jeu cynique, en somme. Elle se mit debout, s'étira et s'accouda au balcon. Sa meilleure parade dans ces situations était le silence, elle s'y réfugia. Les crêtes d'écume des vagues étaient légèrement phosphorescentes, un spectacle étrange et beau dans la nuit noire. Fito fit quelques pas et se mit derrière elle, tout près d'elle, l'effleurant. Il sentit un frisson parcourir le corps de Tatsumi. Il se colla alors à son dos, épousant son corps du sien. Ils restèrent ainsi, échangeant leur chaleur. Elle trembla, soupira, se retourna pour lui faire face. Leurs lèvres se cherchèrent. Leurs bouches avaient le goût de toutes les ivresses du vin.

— Tu ne dors jamais, Tatsumi? lui chuchota-t-il à l'oreille sur un ton soudain amusé.

— Dormir par une si belle nuit? Non. Je veux rester dans le vent, le sel, la mer bleue. Deux jours, ça ne suffit pas pour s'en imprégner. Alors je veux bien souffrir de manque de sommeil…

— Tu as raison… je veux aussi souffrir avec toi… Viens!

Il lui prit la main, l'entraîna avec une soudaine impatience dans la chambre, vers le lit.

Il la désirait comme il n'avait pas désiré une femme depuis longtemps. Il bandait et s'en étonnait. Il était ému de se retrouver libre d'aimer qui il voulait, où il voulait. C'est ce qu'il croyait. Elle l'appelait, le cherchait, maintenant qu'elle avait compris la soif de ses mains. Il lui dévorait la bouche, caressait sa peau, suçotait ses mamelons délicats comme ceux d'une petite fille, d'une toute petite fille. Il s'enivrait de son parfum fruité, de la douceur de ses cheveux emmêlés sur l'oreiller... Mais il savait, il sentait qu'une partie de lui-même, la partie essentielle de son être, le laisserait en route. Des mois qu'il ne pouvait connaître une femme, des semaines qu'il avait vendu son âme à Canaan... Il eut soudain peur de faillir, de ne pas pouvoir l'aimer comme elle l'attendait, comme elle en avait besoin. Tatsumi l'appelait avec des petites pressions de ses bras et de ses cuisses entrouvertes. Elle le voulait dans son corps, fiché en elle, la remplissant jusqu'au déferlement de son plaisir. Il se tint au-dessus d'elle, la regarda un instant dans les yeux, la vit si belle dans son attente qu'il en souffrit. Il se rejeta sur le lit, à ses côtés, en colère contre lui-même. Des secondes passèrent. Tatsumi ne comprit pas tout de suite l'élan cassé de l'homme. Elle continuait de le chercher, l'embrassait sur la bouche. Mais le désir de Fito était tombé, en une fraction de seconde, son sexe pendait, flaccide, lointain et inutile.

Quand Fito se réveilla, le soleil dansait dans la chambre. Il ne trouva pas Tatsumi dans la maison. Il était tout à fait reposé. Étonnamment, le bruit de la mer ne l'obsédait plus, il l'écouta sans angoisse. Le carillon du clocher de l'église appela les fidèles à la messe dominicale. Des riverains endimanchés traversaient la plage. Une journée et une nuit à passer avant leur retour à Port-au-Prince. Il sentit combien précieux était ce temps. Fito soupira. Elle avait laissé du café pour lui sur le petit réchaud à alcool. Il sortit sur le balcon et la vit en bas sur la plage, entourée d'un essaim d'enfants. Elle arrachait des pages de son cahier de notes et leur montrait comment fabriquer des grues et des poupées. Les gamins excités voulaient tous s'asseoir à ses côtés. Elle leur expliquait dans un langage improvisé les rudiments de l'art du pliage de papier. Elle sentit le regard de Fito et se retourna.

— *Ohayo gozaimasu*[1] *!* Tu viens, Fito ? J'apprends l'ori-

1. « Bonjour ! »

132

gami aux enfants. Ils comprennent bien… ils sont habiles. Tu veux essayer ?

— Non… mais j'arrive.

Il la retrouva fraîche, pourtant elle avait très peu dormi. Elle avait relevé sa queue-de-cheval et mis de la crème solaire sur son visage, ses épaules et ses bras. Les enfants, cheveux crépus jaunis par le soleil, l'entouraient sur le sable. Fito les regardait, les mains dans les poches, revoyant dans sa tête les images de son rêve de la veille. Celle qui se trouvait à la droite de Tatsumi, la petite grimelle[1], lui rappela étrangement Fabiola, son visage, ses mains. Il sursauta et recula de quelques pas, sentant que sa simple présence mettait l'enfant en danger. Tatsumi agissait comme si rien ne s'était passé pendant la nuit, comme si sa virilité n'avait pas failli, comme s'il était naturel qu'il n'ait pas pu la pénétrer, l'explorer. Peut-être bien que c'était naturel, au fond. Les premières fois ne sont jamais les bonnes. Pourtant à Canaan, la force de la première fois l'avait ébranlé au plus profond de lui-même. Et la deuxième, et la troisième… toutes les autres fois où il avait été un demi-dieu dans ce paradis en enfer.

1. *Grimelle* : Noire à la peau claire.

Il y avait eu une deuxième fois. Il y avait eu Fabiola. Il avait plu la veille au soir et les ruelles de Canaan étaient des bourbiers. Les Cananéens avaient passé la nuit debout sur des chaises ou juchés sur leurs rares meubles pour s'isoler du sol trempé. Fito s'était juré de ne plus revenir en ce lieu. Mais voilà, il suivait encore une fois Golème Gédéon sur les traces d'un désir qu'il n'avait pu combattre. Au début de la semaine, il avait pris rendez-vous pour le jeudi après-midi suivant avec une psychologue clinicienne. Il la verrait la veille de sa prochaine tournée à Canaan, pour couper court à toute tentation. Il lui dirait tout, comme à un confesseur. Il devait se confier, essayer de s'ouvrir à quelqu'un, à cette professionnelle qu'il ne connaissait pas, pour sauver son âme. Une fois sa décision prise, il s'était senti soulagé, presque heureux. C'était la bonne chose à faire, la réaction d'un homme sensé qui s'était laissé égarer un instant mais revenait à la raison. Il pensa aussi à prendre des vacances. Un petit tour en Pennsylvanie chez son frère Marc lui ferait le plus grand bien. La famille lui manquait. Oui, il prendrait bientôt quelques jours d'évasion, loin de cette ville qui l'engloutissait. Mais le lendemain il jugea qu'une femme, psychologue ou pas, n'était peut-être pas la meilleure personne à qui s'adresser. Une femme, probablement une mère qui avait aussi des enfants, des fillettes. Aurait-elle le détachement qu'il fallait pour l'écouter objectivement ? Il pouvait déjà voir dans ses yeux la répulsion qu'elle essaierait sûrement de lui cacher. Pourrait-il le supporter ? Et puis, même s'il ne la connaissait pas personnellement, elle devait sans doute le connaître, lui, l'écrivain dont on avait tant parlé il y a quelques années. Elle pouvait aussi être l'amie de sa première ou de sa seconde femme, ou des deux. Tout le monde se connaissait ici, ou connaissait quelqu'un qui vous connaissait. Peut-être que sa fille fréquentait l'école de Candice, peut-être même qu'elles étaient des copines. Non. À mesure que les heures passaient, l'idée d'une session avec une psychologue lui déplaisait de plus en plus. À quoi bon s'engager dans une entreprise qui lui ferait plus de tort que de bien ? Il était suffisamment perturbé sans cela. Il lui fallait un homme, un mâle comme lui, ressentant dans sa chair les pulsions et les exigences de leur sexe. Un homme qui comprendrait sa détresse et pourrait se mettre dans sa peau. Et s'il écrivait Canaan ? Et s'il vomissait sur des pages blanches toutes ces douleurs, toutes ces émotions qui lui lacéraient la peau, cette immense misère humaine ? Ne serait-ce pas mieux que d'aller chez le psychologue ? Peut-être… l'idée l'accrocha un moment mais il la laissa tomber. Il n'en aurait jamais la force. Cela faisait trop longtemps qu'il échouait à chaque tentative d'écrire. C'était finalement comme tenter de soulever une montagne. Et le temps passait. Le jeudi matin, à la veille de sa rencontre avec Golème Gédéon, il appela le cabinet de la psychologue et annula le rendez-vous sous prétexte d'un départ en urgence du pays. Est-ce qu'il voulait retenir une autre date ? demanda la réceptionniste. Oui… mais… il ne pouvait pas encore fixer un jour, il rappellerait. Merci. Il avait raccroché, confus mais secrètement soulagé. Ce vendredi soir-là, il trouva du plaisir à marcher dans la boue molle qui collait à ses semelles. Il était sûr de pouvoir mettre fin à ses escapades à Canaan quand il le voudrait. Il se trouverait dès la semaine prochaine un psychologue, un homme à qui il parlerait en le regardant droit dans les yeux. Quand il fut mis en présence de Fabiola, le sol se déroba sous ses pieds, il flottait. Comme avait été long le chemin vers elle. Comme avaient été brûlants ses doutes et épuisantes ses insomnies vers elle, vers sa peau claire, ses yeux couleur d'huile de palma-christi, son petit corps lisse, sans rondeur, sans attrait, sans péché. Aimer une enfant comme Fabiola ne pouvait être un péché.

Ses doigts se meuvent, aussi légers que des ailes de papillon. J'ai déjà vu ces mains. Je les ai frôlées dans un autre monde, dans une autre vie où des petites filles sur une île n'ont jamais vu la mer. Elle tourne et retourne le papier devant ses yeux, en lisse les plis. Ses poignets fins se tordent avec grâce. Je reconnais ce geste, mais les poignets dont je me souviens avaient peur. Tout son être est absorbé par la magie qui s'opère dans ses mains. Tatsumi l'encourage avec un sourire. Les autres enfants font du bruit, elle se tait. Fabiola est-ce toi ? Viens-tu me hanter sous ce ciel où je suis venu me réfugier ? Les malfinis tournoient au-dessus de ma tête. Ils m'ont senti, nous sommes de la même race. Je reconnais la lumière de ta peau et l'eau de tes yeux. As-tu jamais vu la mer, Fabiola ? As-tu jamais senti le vent de la mer jouer dans tes cheveux ? Sous le soleil la mer est belle à en pleurer. Si je pouvais te faire voir la mer, Fabiola, même une fois. Elle s'arrête pour observer les mouvements de Tatsumi. Elle met une main devant sa bouche quand elle sourit. Comme Tatsumi sait le faire. Je suis debout sous le soleil, je devrais me déplacer et aller vers eux, me mettre au frais dans la brise qui balaie les cocotiers. Pourtant je reste là. Les vagues s'écrasent en poussière d'eau. La petite fille est comme un miroir qui reflète le soleil. Elle m'aveugle. Elle me brûle. Mon Dieu! Je souffre dans tout mon corps. À quoi rêve Fabiola à Canaan? La petite a fait un bel oiseau. Son oiseau, son jouet, son bonheur et elle n'arrête pas de sourire. Qu'est-ce qui te fait sourire Fabiola? Est-ce que des oiseaux te sortent parfois des mains?

Tatsumi et Fito avaient bavardé une bonne partie de la nuit, pour désamorcer la tension, pour garder l'amitié. Il fut surpris de l'aisance de leurs échanges malgré la déception de sa tentative de l'aimer. Cela faisait longtemps qu'il n'avait pas parlé aussi longuement à une femme, sans arrière-pensée, sans objectif précis. À l'aube, avant de se rendormir, il l'avait ouverte et caressée avec sa bouche, avec patience et une certaine tendresse. La chair de Tatsumi mit du temps à s'abandonner à la douceur qu'il suscitait en elle. Elle ne voulait pas qu'il se croie obligé de la satisfaire, il n'en avait sûrement pas envie, elle craignait qu'il ne se fatigue. Il la rassurait. Non… il ne la quitterait pas. Non… il n'était pas fatigué. Il la chercherait ainsi tout le temps qu'il fallait. Quand il la sentait dériver loin de lui ou se crisper, il la laissait un moment, lui parlait encore, prenait ses lèvres. Je suis avec toi, Tatsumi, et je ne te laisserai pas tant que la rumeur de ton sang ne t'aura emportée loin dans le ciel… sous les ailes déployées des malfinis. Il lui devait ce plaisir. Il reprenait ensuite sa caresse précise et exigeante, attentif aux gémissements de la femme mêlés au chant de l'eau et du vent. Les spasmes du corps de Tatsumi se tordant enfin de plaisir le surprirent. Elle cria d'un cri d'enfant. Il but son orgasme qui lui laissa un goût imprécis dans la bouche.

Jean-Claude envoya un émissaire les inviter à déjeuner chez lui, dans la petite maison à côté de l'église aux couleurs de la Vierge immaculée. Ils remontèrent dans la chambre pour le petit déjeuner. Les enfants la quittèrent avec regret mais heureux de montrer partout leurs figurines de papier. Tatsumi et Fito décidèrent ensuite de passer la matinée dans l'eau et le soleil. En fin de matinée, un canot rentra vers la plage, des pêcheurs criaient, excités. Les riverains approchèrent, curieux, la nouvelle circulait, il y avait une belle prise, c'était leur cinéma. Une bonite à ailerons jaunes, énorme. Tatsumi sortit de l'eau et courut chercher sa caméra. Le poisson fut débarqué et posé sur le sable, une femme acheta la prise après d'âpres négociations. Elle était heureuse et fière et posa avec complaisance devant la caméra de Tatsumi. L'animal rendait encore un sang vif par la blessure à son flanc. Vint le moment de débiter le poisson. L'acheteuse officiait, un énorme couteau à la main, fiévreuse, passant des ordres à droite et à gauche. Elle plongea la lame sous la tête, suivant la largeur du cou. Puis elle descendit, le long de l'arête dorsale, avant de bifurquer à angle droit au niveau de la moitié du corps pour remonter vers la tête. Le premier bloc de chair aux trois tons de rouge fut soulevé et posé dans un seau qu'il emplit.

Fito restait debout devant le poisson, parmi les gens, fasciné.

Jean-Claude flirtait subtilement avec Tatsumi. Elle s'en amusait, lui souriait et le flattait par son plaisir évident. Elle buvait du vin blanc. La barbe et les cheveux blancs de l'hôte l'autorisaient à effleurer la femme avec le duvet des mots. Des mots qu'il lui offrait avec précision, élégance et en même temps une charge de non-dit. Tout comme il les écrivait dans ses romans. Fito faisait celui qui ne comprenait pas, mais l'attention de son ami pour sa compagne le flattait et l'excitait. Il ne craignait pas la concurrence. Jean-Claude ne cherchait pas non plus à lui en faire. Il cédait simplement au plaisir que lui procurait la présence féline de Tatsumi à sa table. Après la salade d'avocats, le poisson et les ignames, ils goûtèrent du tomtom à la sauce de gombo, une spécialité du village. C'était toute une histoire de sucer et d'avaler des petites bouchées de la pâte collante de fruit à pain trempée dans la sauce visqueuse. Jean-Claude avait insisté, consommer ce mets avec les dents était un sacrilège.

— C'est la seule chose qui me manque parfois aux Abricots... de la bonne compagnie, dit Jean-Claude en regardant Tatsumi les yeux brillants. Parler d'écriture, de lecture, de beauté… avec une belle femme.

— Heureusement qu'il y a le téléphone et l'Internet, commenta Fito en souriant. Tu as quand même des compensations.

— Oh que non, mon ami! Le beau s'apprécie aussi dans des dimensions bien réelles. Et s'extasier uniquement dans le virtuel peut devenir à la longue frustrant… si tu me comprends.

— Est-ce que tu écris?

Fito posa spontanément la question à Jean-Claude mais le regretta aussitôt.

— J'écris… Et toi?

Jean-Claude attendait une telle occasion. Sa petite question en retour était beaucoup moins anodine qu'il n'y paraissait et il la posa avec pudeur.

— Non… je n'y arrive toujours pas. Mais j'ai une idée… je crois que… — Fito hésitait, cherchait ses mots. Il s'arrêta pour allumer une cigarette et regarda Tatsumi. — C'est comme une obsession… J'ai besoin d'écrire, de plus en plus besoin…

Une ombre passa sur son visage.

— Mais vivre ici compense beaucoup de manques, dit Tatsumi à Jean-Claude. Je comprends ton choix. Ce que je ne comprends pas c'est pourquoi beaucoup plus de personnes ne retournent pas vivre dans les villages, ne retournent pas à des vies plus saines.

Fito était heureux de l'interruption de Tatsumi, il s'empêtrait pitoyablement dans ses mots.

— Parce que en dehors de la nature et de ses fruits ils

142

n'y trouveront pas les moyens de vivre, de répondre à leurs besoins essentiels. Sans structures d'accueil, sans possibilités d'emploi, de scolarisation et de santé, les villages et les bourgs deviendraient bien vite des déserts sous l'effet de la main humaine. Pendant quelques mois Abricots a subi une invasion massive de déplacés fuyant Port-au-Prince et les répliques du séisme. Ils arrivaient par vagues de plus d'une centaine. Ce fut une longue crise. Difficile à gérer. Les réserves en céréales du bourg ont fondu dans la moitié du temps prévu, à cette époque de l'année la mer est mauvaise et le poisson rare. Port-au-Prince ne nous fut pas d'une grande utilité. Rien que pour nourrir ces rescapés, il fallait déployer une énergie énorme et soutenue. Nous n'étions pas prêts pour cela, mais il a fallu y faire face. J'ai reçu beaucoup d'aide de l'étranger.

— Et ces gens sont retournés d'où ils venaient ?

— Oui. La grande majorité, heureusement, je dois l'avouer… Il est plus que temps que ces grands zotobrés[1] qui dirigent la république de Port-au-Prince arrêtent de parler de décentralisation pour la beauté du mot. C'est le moment ou jamais de commencer à investir dans l'arrière-pays, à relancer la pêche, l'agriculture et l'agro-industrie, l'élevage, à inventer notre écotourisme historique… Les gens reviendront dans leurs patelins d'origine s'ils y trouvent les moyens de vivre dans la décence.

— *Haï !…* fit Tatsumi en prenant une gorgée de vin.

Au dessert, ils mangèrent un succulent pain-patate envoyé par la femme du maire adjoint. Fito n'en pouvait

---

1. *Zotobrés* : autorités politiques.

plus d'attendre. Sans préambule, il salua son ami et prit congé de lui. Il voulait Tatsumi pour lui seul, dans le lit de la maison sur la plage, avec la mer sous ses yeux. En partant, le regard de Jean-Claude le suivit, indéchiffrable.

Ce vendredi-là, il traînait dans son corps un lourd nuage de colère. Tout était allé de travers, la panne de la climatisation au bureau, la secrétaire-réceptionniste malade, ce tap-tap qui avait éraflé l'aide droite de la Jeep. Depuis le séisme, les tap-tap et des centaines de motos-taxis rendaient la circulation dingue à Pétion-Ville. Il faisait antichambre depuis deux semaines dans les bureaux du ministère de l'Environnement pour l'obtention d'un permis de creuser des puits artésiens pour le nouveau complexe de logements sociaux. Deux heures de perdues encore aujourd'hui, il lui manquait juste une dernière signature sur un document. Et puis cette réunion à trois heures de l'après-midi au cœur de Delmas 33, avec les jeunes d'une organisation qui regroupait une vingtaine de quartiers populaires, depuis Siloé, en passant par Saint-Martin, jusqu'à Maïs-Gaté. Des quartiers truffés aussi de gangs en trêve, mais où la violence pouvait surgir comme une pluie en plein soleil. Quelle idée de convoquer une réunion un vendredi à trois heures de l'après-midi. On lui demandait de venir partager son expérience dans la formation en construction antisismique des ouvriers maçons.

Il n'avait pas pu refuser. Il avait rongé son frein tout le temps de la réunion, même s'il s'intéressait à ce que ces jeunes avaient à dire sur la reconstruction, sur leur besoin d'implication, leurs luttes au quotidien, leur disponibilité et leurs rêves. Il en apprenait plus d'eux sur la réalité du pays que de tous les rapports synthétiques qui s'échangeaient entre cabinets d'experts, organisations internationales, ambassades et missions consulaires, palais national ou ce qu'il en restait, primature, ministères, officines du gouvernement, organismes non gouvernementaux, études d'architectes et d'ingénieurs, cabinets d'avocats et de notaires, par e-mail et sur Facebook.

La réunion concernait le lancement d'un projet de gouvernance locale pris en charge par l'une des plus importantes ONG sur place et financé par l'Office interrégional des migrations. Fito nota la présence d'un élu local. Il n'y avait pas de représentants du gouvernement central. Un vendredi, trois heures de l'après midi ? Quand même ! On parlerait de construction de maisons à coûts réduits et sur petite échelle, d'économie informelle, de microfinance. Les femmes et les jeunes filles des quartiers arrivèrent les premières et constituèrent la majorité de l'assistance. On joua l'hymne national avant de débuter la rencontre.

Fito avait demandé à prendre la parole parmi les premiers intervenants pour pouvoir s'éclipser en douce, si nécessaire. Il brûlait d'une douloureuse impatience, son corps assistait à la réunion mais son âme grimpait déjà les mornes jusqu'à Canaan. S'il prenait la route à six heures quinze, il avait toutes les chances d'être à l'heure à son rendez-vous avec l'oncle. Mais six heures quinze, pas une minute plus tard. Il avait été hautement irrité par l'attitude d'un représentant d'ONG qui assistait à la réunion. Un Blanc atteint de vitiligo étendu, un Blanc deux fois blanc, qui avait besoin de vacances, qui pensait à son vendredi soir et à ses rhum punchs, qui se languissait de sa jeune maîtresse haïtienne au physique de mannequin. Il devait être aussi emmerdé et impatient que Fito et il le montrait, le faisait sentir avec arrogance à ces jeunes représentants de groupements populaires qui ne savaient pas organiser une réunion dans les règles de l'art, qui étaient toujours en retard aux rendez-vous, qui ne pouvaient pas réunir dix d'entre eux pour parler de développement communautaire ou de n'importe quoi sans la présence d'un DJ avec ses haut-parleurs et ses décibels qui crevaient les tympans entre chaque intervention. Rap créole ou konpa. *Nou mande yon ti chans pou Ayiti, nou mande yon ti chans pou sa chanje*[1]. Un refrain incessant, lancinant, obsédant. Tu parles d'un foutu folklore ! Il n'était pas méchant le Blanc, mais des fois il en avait sa claque de ces rencontres couleur locale.

Il y avait de l'électricité dans l'air à Canaan. Fito la capta tout de suite et sentit son angoisse augmenter. L'oncle lui avait dit que la journée avait été houleuse dans le camp. Des rumeurs circulaient depuis quelque temps sur une éjection massive de sinistrés. L'État devait venir, armé du bras de la force, et expulser les Cananéens en situation irrégulière et les soi-disant sinistrés profitant de la situation, c'est-à-dire les trois quarts du camp. On annonçait cette

1. « Nous demandons une petite chance pour Haïti, nous demandons une petite chance pour que ça change. »

apocalypse pour ce vendredi-là. Les hommes et les femmes s'étaient levés au matin sans beaucoup se parler. Ils se questionnaient du regard, se demandaient sans mots jusqu'où ils iraient pour garder leurs lambeaux de terre si la police venait. Pour la première fois de leurs vies, ils étaient propriétaires. Même d'un désert, ce n'était pas rien. Brusquement, Canaan redevenait la terre promise, on voulait leur ravir le lait et le miel qu'ils attendaient, dont l'espérance arrivait parfois à adoucir quelques heures dans leur existence. Il y aurait peut-être du sang si l'État venait avec la force, il y en aurait sûrement, comme dans toutes les affaires de terre ici, depuis l'indépendance. Mais personne n'était venu et, ce vendredi soir, la vie reprenait à Canaan, même si un reste d'excitation nerveuse traînait encore dans les ruelles sombres et sous les peaux.

Il avait pris Medjine à deux reprises, coup sur coup, sous une tente étouffante, dans l'espace d'une heure. Une performance qu'il n'avait pas réalisée depuis au moins dix ans. Il avait le diable dans les reins. Un vendredi qui lui laissait pourtant un goût amer dans la bouche. À douze ans, Medjine était déjà une femme. Fito l'avait senti tout de suite. Il y a de ces filles qui naissent putains ou qui sont entraînées à le devenir dès leur plus jeune âge. Elle était l'une ou l'autre. Elle avait ça dans le sang et le chercha dès qu'il franchit le pas de l'abri de fortune. Il faillit perdre contenance. Les autres fillettes attendaient généralement qu'il vienne à elles. Il aimait flairer la peur et une certaine innocence dans leurs cheveux, dans leurs yeux, comme Esther ou comme Rosemé, les deux dernières fois. Dans les cheveux de Medjine il respira de la vaseline bon marché et un relent de tabac. Medjine l'aborda tout de suite, sûre d'elle, débarrassée des oripeaux de l'enfance. Elle était déjà une femme. Elle aimait ça. Elle le troubla. Elle le décevait, court-circuitait ses illusions, sa soif de candeur. Puisqu'elle était une enfant, elle était censée être pure, ne pas connaître les hommes et leurs désirs, ne pas rechercher son propre plaisir. Il retrouvait en elle la dissimulation, les faussetés et les pièges du système. Il lui fit mal, la malmena de son désir violent, lui mordit la lèvre jusqu'au sang, pour oublier qu'il alimentait un état de choses qu'il condamnait ailleurs, pour ne pas voir qu'il était comme les inconscients qu'il dénonçait. Il s'en dégoûta, mais après. Sur la route du retour, il demanda à l'oncle de lui trouver une petite vierge, au prix qu'il faudrait, peu importe le temps que ça prendrait. Après avoir émis son vœu, Fito réalisa qu'il descendait une nouvelle marche en enfer. L'oncle le regarda de biais et dissimula son sourire satisfait.

Medjine renversa la tête et but la dernière goutte de café, posa la timbale sur le sol, retira le mégot de derrière son oreille gauche et l'accrocha à ses lèvres. Elle en approcha un tison qu'elle prit du foyer brûlant sur la terre battue devant la tente et l'alluma. La paille de la petite chaise crissait quand elle bougeait. La fumée du bois qui brûlait lui irrita les yeux, comme à chaque fois qu'elle décidait de s'offrir quelques bouffées de tabac. Elle fumait dès son lever. Elle fumait par petits coups, en allongeant les lèvres pour rejeter le filet de fumée. Les Cananéens bougeaient déjà dans les ruelles du camp, profitant de la fraîcheur du matin.

Medjine avait menti à Golème car, en ce mois de janvier 2011, elle avait quatorze ans, au lieu des douze qu'elle avait prétendus. Golème était sa seule planche de salut. Il cherchait des fillettes et ne les voulait pas plus vieilles que douze ans. Son corps gracile et ses couettes convainquirent le courtier, mais la méfiance s'installa dans leur relation. Medjine vivait avec sa sœur et le fils de celle-ci sous un abri de fortune. Leur sœur aînée avait péri dans le séisme et le cœur de leur mère avait arrêté de battre huit jours après la catastrophe. Les négociations s'était faites entre la fillette et l'homme. Golème avait l'impression que Medjine se servait de lui autant qu'il se servait d'elle. Il ne maîtrisait pas le rapport de force et cela l'agaçait. Mais Medjine était une marchandise sûre qui comptait des inconditionnels parmi ses clients.

Elle rentra sous la tente et en ressortit avec un cachet de purificateur d'eau qu'elle laissa tomber dans le gallon posé à terre. Sur le feu épaississait une bouillie de farine parfumée à la cannelle. La veille, elle avait attendu deux heures dans une file houleuse pour obtenir le lait en poudre, la farine et le sucre que distribuait Bread for the Hungry[1]. Medjine huma le fumet de la cannelle et sa poitrine se gonfla de plaisir. Dans la tente, Luvenska dormait sur un lit de camp avec son fils Milo, le neveu que Medjine aimait comme la prunelle de ses yeux. Et pour donner à manger à Milo elle ferait tout. De toute façon, ce n'était pas la pire des choses qui leur était arrivée. L'an dernier les murs de la chambre qu'ils louaient sur les hauteurs de Carrefour-Feuilles étaient tombés sur Wanita et lui avaient broyé le haut du corps. L'aînée était venue passer les vacances de Noël avec sa mère et ses deux sœurs. Il n'y aurait plus de grande sœur à New York, plus de transferts mensuels que Medjine et Luvenska attendaient comme une terre sèche attend la pluie, plus d'espoir de partir un jour en avion vers ce lieu où elles naîtraient de nouveau, comme Wanita. En quelques secondes, tout avait chaviré pour les trois sœurs Philogène.

1. « Du pain pour ceux qui ont faim. »

Luvenska n'entendit plus jamais parler de Josué, le père de Milo, jusqu'à ce que les circonstances et le destin les fassent retrouver à Canaan Ti Wil, un vague cousin de Josué qui leur confirma la mort de ce dernier. C'est par Ti Wil que Medjine avait fait la connaissance de Golème. Medjine et Luvenska tenaient le coup, malgré certains regards réprobateurs dans leur entourage.

Luvenska a dix-neuf ans et travaille dans la cuisine d'un restaurant dansant à Carrefour-Marin. Quand la cuisine ferme, quand elle a fini de récurer les chaudières, elle va danser avec des hommes et se perdre dans la musique. La musique joue fort et chasse ses angoisses, ses reins ondulent contre ceux de partenaires qu'elle connaît peu ou pas. Il y a une petite ampoule rouge qui brûle au plafond et cette lumière sombre sur la piste semble tomber d'un soleil éteint. Luvenska est une amoureuse. Elle cherche toujours des hommes à qui donner le trop-plein d'amour avec lequel elle est née. Medjine la plaint, même si elle est sa grande sœur, car pour elle les hommes n'ont qu'une fonction, lui procurer du plaisir et de l'argent. Elle n'a jamais vu son père. Elle a grandi entourée de sa mère, de ses tantes, de ses sœurs, des voisines et leurs histoires. Elle a grandi dans l'odeur de leurs aisselles, leurs angoisses, leurs mille pirouettes pour trouver le pain de chaque jour, leurs soupirs étouffés dans la promiscuité de chambres surpeuplées. Lorsque l'amant de sa mère lui apprit à fumer des cigarettes et à découvrir dans son corps les chemins de la félicité, Medjine sut qu'elle était faite pour donner du plaisir et que ce plaisir avait un prix. À dix ans elle n'était plus une enfant. Elle avait vécu tant de vies déjà, toutes les vies de ces femmes qu'elle regardait vivre. Elle veut devenir sage-femme et mettre des enfants au monde. C'est le rêve qu'elle caresse et qui lui donne de l'ardeur pour aller au-devant de la vie. Le rideau barrant l'entrée de la tente se soulève, Medjine sent le mouvement et se retourne. Milo avance vers elle, les deux bras allongés, cherchant son équilibre, le derrière nu. Medjine le prend contre elle, sent la chaleur de son petit corps dodu et pose ses lèvres sur son crâne chauve.

Tatsumi avait mis Gilberto Gil dans le lecteur de CD. Les cordes de la bossa-nova se mariaient bien dans le crépuscule. C'était leur seconde et dernière soirée. Demain ils reprendraient la route. Cette perspective rendait leurs dernières heures aux Abricots mélancoliques. Ils avaient le sentiment d'avoir raté quelque chose mais n'en parlaient pas. Fito n'avait pas pu concrétiser l'acte d'amour, une fois encore, malgré la fougue qui le portait quand il avait quitté la table de Jean-Claude au début de l'après-midi. Il ne comprenait pas pourquoi son corps ne suivait pas le mouvement de son désir. Pourquoi son élan tombait dès qu'il approchait du seuil de la femme. Il n'avait pas honte de lui-même, c'était bien la première fois de sa vie qu'il connaissait une si longue période de défaillance de sa virilité, mais il éprouvait surtout une grande déception pour Tatsumi. Même si elle lui disait que cela n'avait pas d'importance, qu'il l'avait fait jouir, qu'elle était heureuse qu'ils soient ensemble, avec la mer au bout de leurs regards. Il n'en était pas convaincu, son orgueil en prenait un coup, mais il appréciait son tact et son amitié. Il se

154

sentait bien avec elle. Elle était peut-être la seule personne dont il pouvait supporter la présence en cet instant et en ce lieu.

— Que feras-tu quand tu seras rentré demain après-midi ? Tu vas passer voir Franck ?

Fito trouva la question étrange. Ce n'était pas le genre de question à laquelle il s'attendait de la part de Tatsumi. Jusqu'à cet instant, elle n'avait pas cherché à en savoir trop sur sa vie, sur ses activités quotidiennes, sur ses amours.

— Hmmm… je vais passer au bureau, même pour deux heures. La reprise sera difficile. Je sais qu'un million de choses m'attendent. Je n'ose pas regarder mon téléphone et mes e-mails.

Il ne lui dit pas qu'il redoutait un autre appel de Canaan. Qu'il craignait que se rompe ce charme qui lui procurait une relative sécurité émotionnelle dans ses bras.

— Tu travailles parfois dans les camps de déplacés ?

Fito se raidit. Pourquoi parler des camps, maintenant ?

— Oui… il m'arrive de visiter des camps. Cela fait partie de mon travail.

— Puis-je te poser une question… particulière ?

— Vas-y, répondit Fito, mais il avait déjà peur des mots qu'elle lui dirait.

— Quel effet cela te fait de côtoyer tant de… détresse ?

— Comment ça, quel effet ?

Il haussa les épaules en lui répondant. Il s'énerva. Qui parlait, la journaliste, l'amie, la Japonaise indéchiffrable ?

— Quand je suis rentrée de Jacmel avant-hier, j'étais moralement épuisée. Et pourtant je ne suis pas d'ici. Je ne connais pas ces gens, je ne les reverrai sûrement jamais.

Mais être témoin, même un instant, de cette précarité de vie laisse un poids lourd sur l'esprit. Voilà pourquoi je me demande parfois comment, toi, tu vis ça...

— Bon... on s'habitue. Soit on s'immerge là-dedans pour aider d'une façon ou d'une autre, soit on fait semblant de ne rien voir, par cynisme ou bien parce qu'on est écrasé par l'impuissance. — Fito regarda Tatsumi droit dans les yeux. — Mais dans les deux cas, poursuivit-il, on n'est à l'abri de rien. Toute cette désolation engendre une violence et une corruption qui finissent toujours par nous rattraper et nous frapper de façon inattendue... Et puis, il y a aussi des sites bien plus difficiles que d'autres, lui dit-il pour conclure.

— C'est comme à Canaan, dans ce camp il paraît que des enfants sont...

— Canaan?!... Tu connais Canaan?... Tu es allée là-bas?

Entendre ce nom dans la bouche de Tatsumi parut bizarre à Fito. Un nom charriant des voix sortant du ciel. Un nom d'exode et de désert, de lait et de miel, mais surtout de fiel, un nom de malédiction. Elle venait de si loin, que savait-elle de cette histoire? Qu'avait vu Tatsumi et qu'avait-elle compris du grand chaos haïtien? Qui lui donnait le droit de parler de Canaan, de répéter ce qu'elle en avait entendu, d'en avoir peut-être une idée, une opinion? Sacrilège! Canaan était à lui, sa chose. Sa blessure qu'il léchait sans cesse. Elle n'était pas supposée en parler avant lui, en sa présence, en parler sans lui demander si elle le pouvait. Qu'y était-elle allée chercher? Pouvait-elle savoir que Canaan avait volé son âme, l'avait broyé, violenté, pour le jeter ensuite au pied d'une extase proche de la mort ? C'était impossible ! Tatsumi ne savait pas qu'elle soulevait la gaze couvrant une blessure qui le coupait en deux moitiés devenues étrangères l'une à l'autre.

— Non... je n'ai pas eu le temps d'y aller et je le regrette, ça demandait toute une logistique, mais j'ai lu des articles, des reportages et j'ai rencontré des gens qui connaissent bien l'endroit et m'en ont parlé. Je suppose que tu dois le connaître aussi. Tu vas bien, Fito ? Tu en fais une tête...

— Hmmm... je vais bien... Oui, je connais Canaan. J'y suis allé plusieurs fois même. C'est un autre monde, là-bas, Tatsumi, un pays perdu aux frontières de la soif. On y trouve des estropiés, des vieillards à la limite de la déshydratation, des adolescents qui tuent pour du crack, des gens qui prient à longueur de journée, des escrocs qui revendent la même terre spoliée. On vend des enfants à Canaan... le corps des petites filles... pour une bouchée de pain. Est-ce qu'on te l'a dit, ça ? Tu as bien traversé l'océan pour le voir, non ? Ton papier, il va faire sensation, n'est-ce pas ?

Fito lâcha les derniers mots avec une colère qu'il ne put contenir.

La soudaine dureté dans la voix de Fito décontenança Tatsumi mais ne la blessa pas. Il souffrait tout d'un coup, il souffrait beaucoup. Elle ne pouvait pas savoir combien cette conversation ouvrait de tourments en son âme. Elle ne savait pas qu'elle mettait le doigt dans une blessure. Mais son instinct lui dictait des mots qu'elle lui dit avec passion. Toute la complicité qui s'était créée entre elle et cet homme, dont elle avait lu les mots de lumière et de fureur, revenait à la surface. Elle essaya de lui communiquer sa foi et sa certitude qu'il pouvait défaire les liens qui le retenaient prisonnier de lui-même.

— Tu devrais écrire toute cette douleur, Fito, en faire un livre. La laisser couler de tes mains. C'est par l'écriture que tu te purgeras de l'angoisse que je sens en toi. Dis Canaan, fais vivre ces hommes, ces femmes et ces enfants. Raconte ces petites filles que l'on vend, la prostitution des enfants. Raconte l'innocence violée et l'espoir qui ne veut pas mourir. Sors-les de l'anonymat de leur misère et fais-les entrer dans l'humanité, dans la communauté des hommes… tu peux le faire. Peut-être le portes-tu déjà en toi, ce roman.

Moi, je le crois. Invente-leur des noms, des visages, des désespoirs, des rêves de lutte et de bonheur. Use de ta folie, de ta sensibilité, des mots de ta liberté sans bornes pour entrer vraiment sous leur peau. Et partage ces vies avec le monde. C'est ce que tu sais faire de mieux. J'en suis sûre. Fais-le pour eux, pour toi. Tu en seras libéré.

Fito ne disait rien. Il ne comprenait pas ce qui venait de se passer. Il aurait juré que Tatsumi savait quelque chose, qu'elle avait attendu ce moment pour entrer dans le gouffre de sa vie, pour le mettre à nu. Mais ce n'était pas possible. Seul le hasard pouvait expliquer une telle coïncidence. Comment aurait-elle su ? Mais elle n'aurait pas dû le toucher là. Elle lui parut comme une sorte de voyeuse. Elle devinait ses couleurs intimes, ses clairs-obscur et leurs parfums interlopes. Il eut besoin de la mer, de son mouvement autour de lui. Il eut besoin d'être seul avec la mer. Il se leva, il était nu. Il se tint debout devant la fenêtre, regarda le dernier morceau de soleil fondre dans l'océan. Son cœur battait très fort dans sa poitrine. Voilà, l'escapade finissait mal. Le charme était rompu. Des émotions qu'il voulait oublier avaient fait irruption, s'interposant entre lui et Tatsumi. Elle n'aurait jamais dû aborder cette terre avec lui, même l'effleurer. Il se sentait mal, elle le regardait, perplexe. Ils redevenaient étrangers l'un à l'autre, absolument. Il attrapa sa serviette de plage. Il tendait la main vers une lanterne quand Tatsumi lui dit :

— Pourrions-nous rester un jour et une nuit de plus ?

Il crut avoir mal entendu. Elle continua, en le regardant fixement :

— Nous partirions mardi à l'aube. Je prends l'avion

mercredi… pour Tokyo. Je n'ai plus de rendez-vous à Port-au-Prince. Pourrions-nous rester un jour et une nuit de plus ? Vingt-quatre heures de plus. Le monde nous attendra…

Fito trembla.

— Tu veux… vraiment ? lui demanda-t-il.

— *Ee*[1] *!…*

— D'accord… un jour et une nuit de plus. Le monde nous attendra.

Il prit la lanterne et sortit dans la nuit.

1. « Oui ! »

Fito nagea longtemps. Il ne savait pas depuis combien de temps il avait laissé la maison. Une heure, peut-être plus. Il y avait des étoiles plein le ciel. La demande de Tatsumi était un aveu de désir et de confiance. Il l'avait compris tout de suite. Elle voulait rester avec lui, voler vingt-quatre heures à l'absence. La caresse tiède de la mer lui procura un bien-être immense. Il inspirait et expirait fort par moments, un poids s'effaçait de sa poitrine. De la plage, il voyait la maison et la chambre éclairée, il pouvait reconnaître les objets qui leur créaient un univers passager, le temps d'une découverte. Il devina le corps de Tatsumi couchée dans le lit, son corps de petite fille qui n'arrêtait pas de l'intriguer.

Elle n'avait fait que lui dire ce qu'il savait déjà, ce qui l'obsédait tellement. Et c'est d'entendre cette vérité qui l'avait le plus irrité. De quoi se mêlait-elle ? Que lui importait qu'il n'écrive plus, qu'il soit un écrivain asséché, dépravé et lamentable ? Pouvait-elle vraiment s'imaginer comment il avait occupé ses six derniers vendredis soir ? Savait-elle qu'il était l'un des prédateurs de Canaan ? Fito nagea

161

longtemps, il nagea loin. Il s'enfonça dans la mer jusqu'à perdre de vue la maison, le balcon et la lanterne éclairant sur le lit le corps à l'étrange enfance de Tatsumi. Il ne devrait pas se retrouver au milieu de la mer, la nuit, sans personne avec lui. Il pensa aux requins, aux courants, aux abysses, à la mort. Mais il n'avait pas peur dans l'obscurité absolue. Il allait retrouver ses mots et écrire la vie à Canaan. Voilà à quoi lui serviraient les déchirures et les insomnies qu'il vivait en permanence. Il devait être la voix de ces vies inconnues, anonymes, perdues, grains de sable assoiffés d'océan et d'éternité. Cette certitude le libérait enfin.

Il entra dans la chambre et trouva Tatsumi lisant son roman en écoutant du reggae en sourdine. Elle sourit en le voyant arriver, ses yeux noirs cherchèrent les siens. Il s'approcha du lit, défit la serviette qui tomba à ses pieds. Ses cheveux étaient mouillés et son sexe humide. Sans un mot, il retira le livre de ses mains, se coucha sur elle, lui écarta les jambes de ses genoux et la pénétra. Elle gémit, surprise. La mer dansa dans les reins de Fito, il était encore dans l'eau, il était l'eau. Il perdit pied, les vagues l'emportaient loin, le rejetaient, le retenaient, mais le ramenaient toujours à la femme, à son corps d'océan. Il haletait en la chevauchant. Ils naviguaient à l'unisson dans un silence tendu et interminable. Quand elle lâcha le premier cri, il perdit toute notion de temps et d'espace et s'abîma en elle.

Ils quittèrent le village vers quatre heures du matin. Alors que les coqs frileux relayaient leur chant pour tirer le soleil de la brume. Ils ne virent pas Jean-Claude, parti en urgence la veille pour Pestel. Comme à l'aller, ils ne se parlèrent pas beaucoup, mais toute tension avait disparu entre eux. Leurs corps saturés de soleil et de mer étaient apaisés. Les trois ponts sur la Rivière Grande-Anse, la Guinaudée et la Voldrogue les escortèrent hors de Jérémie. Tatsumi s'endormit entre les Cayes et Carrefour, après qu'ils eurent pris une collation à Camp-Perrin. La fatigue eut finalement raison d'elle. Ils n'avaient pas dormi plus de deux ou trois heures de ce jour et cette nuit supplémentaires aux Abricots où leurs peaux s'étaient enfin abandonnées au plaisir.

Dans la matinée de lundi, il avait téléphoné à Franck, à Camille sa seconde ex-femme et à sa secrétaire. Franck s'inquiétait de ne pas l'avoir vu de tout le week-end. Était-il avec Tatsumi, et où ? Camille voulait savoir s'il lui serait possible de verser la pension alimentaire de Candice une semaine à l'avance. Il passa des instructions à sa secrétaire, lui demanda de prendre quelques rendez-vous et lui annonça son retour au bureau le lendemain après-midi. Tout allait bien, ou mal, selon la perspective. Mais la terre continuait de tourner sans lui. Tatsumi avait raison. Canaan n'avait pas rappelé. Pas encore…

Fito était fatigué mais ne ressentait pas le besoin de dormir. Sous sa fatigue brûlait une espèce d'impatience qu'il reconnut. Il conduisait la voiture et des images traversaient son esprit, des idées surgissaient d'un lieu incertain où il les avait gardées en hibernation. Il ne comprenait pas encore le sens à donner à ses pensées, il essayait de coller les pièces d'un puzzle nébuleux. Mais ce tâtonnement mental, cette incertitude exacerbée le conduisaient vers la délivrance, il le sentait dans ses fibres.

Le trafic de Carrefour le ramena dans son vrai monde. Il se retrouvait. Port-au-Prince grouillait de gens, de voitures et de motos-taxis, comme tous les mardis aux environs de midi. À la pension, Tatsumi l'invita à prendre une tasse de thé vert. Il en profita pour dégourdir ses muscles endoloris. Elle fit le thé fort et il grimaça en le buvant, à petites gorgées. Ils ne se firent pas encore leurs adieux. Il lui promit de l'accompagner à l'aéroport le lendemain. Au moment de partir il l'embrassa sur la bouche, goûta sur sa langue l'amertume du breuvage et entendit le fracas des paquets de mer. Ils n'étaient pas sûrs de se revoir, mais on ne sait jamais, Tokyo n'était pas si loin après tout et la terre resterait ronde. Chez lui tout se trouvait à la même place, le jardin et l'orgie mauve des bougainvillées, la petite pelouse et l'araucaria au milieu, les tuiles bleues sur le toit, les meubles et leurs secrets. La même vue sur la baie de Port-au-Prince l'attendait aux fenêtres, coiffée d'un halo de poussière. Il retrouva le silence qui le sauverait ou le perdrait. Le garçon de maison débarrassa la voiture et lui servit un repas froid. Il prit une douche rapide et se changea. À quinze heures trente il était à son bureau où l'attendaient le comptable et des chèques urgents à signer. La fatigue et le manque de sommeil lui faisaient le regard fiévreux. La secrétaire le regardait avec circonspection et nota dès son arrivée son bronzage intense. Lui, il n'avait qu'une envie, laisser l'étude, rentrer chez lui, entre quatre murs, seul. Des visites inattendues le retinrent à son bureau jusqu'à dix-huit heures trente. Franck le garda au téléphone une vingtaine de minutes, lui donnant des nouvelles politiques qui ne l'intéressaient pas. Pendant le week-end, on avait fait feu sur un candidat à la présidence, son garde du corps avait perdu la vie. Le département d'État interdisait les voyages de ressortissants américains en Haïti, sauf cas de force majeure, l'avis circulait sur le Net. Le peuple avait envoyé des pierres et des bouteilles sur le cortège d'un candidat en campagne dans le grand Nord. Le choléra continuait son épouvantable avancée et se trouvait aux portes du département des Nippes. Franck le harcelait aussi de questions, voulait tout savoir de son escapade dans la Grande-Anse. Fito s'énervait, il perdit son temps à éluder l'interrogation de son ami et raccrocha en lui promettant de passer le voir à la fin de la semaine. Il partit enfin. Le trafic encore, le bouchon de Bois-Patate et ensuite celui du Juvénat. Il arriva chez lui après dix-neuf heures.

Il se mit en short, enfila une chemisette, chaussa ses pantoufles en cuir, le dernier cadeau de Gaëlle. Il ouvrit grand les fenêtres de son bureau et la brise fraîche de ce soir de janvier lui traversa le corps. Il regarda un bref moment bouger des lumières dans Pétion-Ville. Il se servit ensuite un whisky avec beaucoup de glaçons. Il mit Miles Davis, *Kind of Blue*, et alluma son ordinateur. La trompette fusa, acide et douce, dans le silence de la maison et la contrebasse amortit en cadence la chute des secondes. Il bougeait, précis, attentif, comme un automate. Seul et heureux de l'être. Fito n'avait pas encore faim, il mit des pistaches et quelques olives dans un petit bol, sur son bureau. Il savait qu'il allait passer là sa soirée et peut-être une partie de la nuit, et beaucoup de nuits après celle-là. Il savait qu'il ne retournerait plus à Canaan. Comme la première fois, il y a cinq ans, il avait trouvé le titre, le code pour entrer en état de grâce. Ses mains étaient sûres quand il tapa en lettres grasses au milieu de l'écran : *Aux frontières de la soif.*

Composition I.G.S. Charente-Photogravure.
Impression CPI Bussière
à Saint-Amand (Cher), le 30 novembre 2012.
Dépôt légal : novembre 2012.
Numéro d'imprimeur : 124123/4.
ISBN 978-2-7152-3365-2./Imprimé en France.

248887